美国视觉设计学院用书
完成设计——从理论到实践

U0095074

Design Evolution
Theory Into Practice

图书在版编目（CIP）数据

完成设计：从理论到实践 / [美] 萨马拉著；温迪，王启亮译.
一南宁：广西美术出版社，2008.12（2021.1重印）
美国视觉设计学院用书
ISBN 978-7-80746-572-0

I. 完… Ⅱ.①萨…②温…③王… Ⅲ. 平面设计—高等学校—
教材 Ⅳ.J506

中国版本图书馆CIP数据核字（2008）第194736号

本书由美国Rockport出版社授权
广西美术出版社独家出版
版权所有 侵权必究
合同登记号：20-2008-069

美国视觉设计学院用书
完成设计——从理论到实践
原版书名 / Design Evolution
　　　　　——Theory Into Practice
原　　著 / [美] 蒂莫西·萨马拉(Timothy Samara)
翻　　译 / 温　迪　王启亮
图书策划 / 黄宗湖　姚震西
策划编辑 / 冯　波
出 版 人 / 陈　明
终　　审 / 杨　勇
责任编辑 / 卢明燕　韦丽华
助理编辑 / 黄丽丽
美术设计 / 陈　凌
责任校对 / 吴素茜　王　炜　黄美玲
审　　读 / 陈宇虹
发　　行 / 广西美术出版社
地　　址 / 广西南宁市望园路9号
邮　　编 / 530022
网　　址 / www.gxfinearts.com
印　　刷 / 当纳利（广东）印务有限公司
开　　本 / 889mm×1194mm　1/16
印　　张 / 17
出版日期 / 2008年12月第1版第1次印刷
　　　　　2021年1月第1版第9次印刷
书　　号 / ISBN 978-7-80746-572-0 / J·1012
定　　价 / 98.00元

美国视觉设计学院用书

完成设计——从理论到实践

原著：〔美〕蒂莫西·萨马拉　翻译：温　迪　王启亮

广西美术出版社

目录

KNOW
知与行
ing
DO

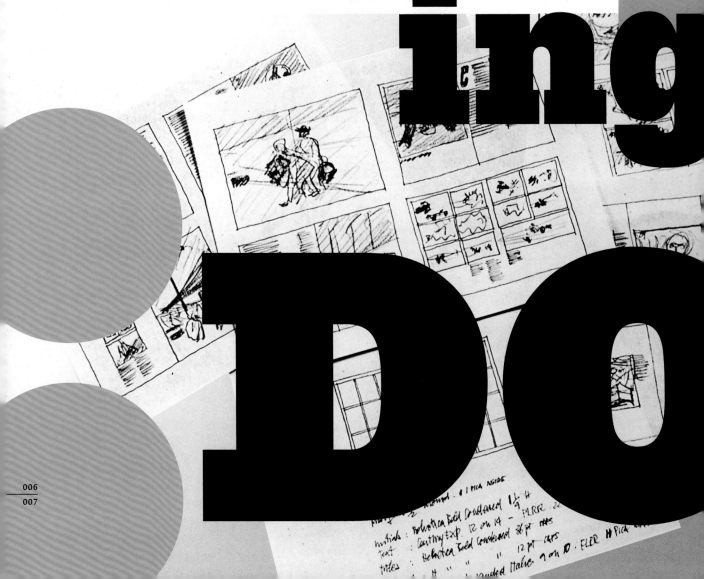

的原理；将这些原理运用于激发设计热情并表达更高层次的概念；利用色彩信息；理解语言和不同视觉符号间的关系；掌握材料的使用和信息的层次；整合字体与图像；统一信息；规划作品的结构并保证与其特性统一为一个整体。与本书同系列的另外一本书——《设计元素——平面设计样式》介绍的即是以上这些方面的内容，以及需要了解的基本原理。如何将这些知识运用于实际的设计案例，从而使设计作品如美丽的体验般生动，并能发挥更好的作用，这就是本书——《完成设计——从理论到实践》所关心的问题。

起初，设计师总是有意识地想到每一个设计元素。随着经验的增长，技能也得到增强时，他们作出决定和解决问题会变得更为直觉化，甚至是无意识的。接着，大多数设计师在完成一个设计项目时，甚至没有意识到那些关于视觉原理的基础知识是如何起作用的，他们只知道，那个能够表达期望中的

有效的视觉信息，从而使观众因某种目的参与其中，也就是代表客户实现了传播。

设计过程因人而异，可以说，有多少人从事设计就有多少种设计过程。一些设计师具有非常的系统化和分析性，他们理解设计的每一步骤，甚至能够凭理智作决定。而另一些设计师则靠直觉进行设计，依赖于他们对基础知识的掌握而产生的感觉。

还有一些人在不同的方法间跳来跳去，让分析和直觉分别发生作用。以上这些途径往往转化为设计师安排相关费用及业务互动的方法。

有一些（但不是所有）设计师向他们的客户解释一系列的设计步骤，常常对那些一听到创造性就一惊一乍的生意人特别是付钱做设计的人公开这一过程。这些步骤大致分为开始、中间和结束。有时这些步骤也称为阶段。

即使设计师没有在合同或提案里对客户

Making the Leap from Study to Real-World Practice
从学习到实战操作的飞跃

每个设计师都是以不同的方式开始工作的，许多人仍旧沿用传统的方式，用铅笔或钢笔在纸上进行设计。左图就是一个书籍版式设计的草图。

明确工作程序，但是他很可能都是以这种分阶段的方法进行构思的。

第一步，或称第一阶段，通常是做调查与思考，有时也称为"概念"阶段。此时，设计师要尽力理解客户要表达什么，对谁表达，哪种方法才可能是最好的表达方式。以上信息通常是在设计师与客户的首次会议中讨论出来的，并浓缩成为文字，称为"创意草案"。设计师或设计团队在将视觉创意转化为概念时，就是以此草案为指导的。有的设计师提出一种创意，有的提出三种或五种。创意数量的多少可能是由设计师自身的偏好，由设计预算，或由项目的复杂性决定的。

在中间一步，或中间阶段，一旦客户通过了第一阶段提出的某一方案，这一阶段通常更关注于调查与完善。此时，设计项目的基本形态和主要方面，如图像、字体编排、色彩、空间及成品已基本成形。一般在这一阶段，设计师将向客户展示项目模型或虚拟成品（有时称作"综合图"，即"综合草图"的缩写），表现出设计作品更多的细节供客户作修改。每套修改方案或每种修订都有助

于解决问题，并使作品的视觉与概念方面更为明晰。

最后一个阶段通常是成品阶段，即设计项目实际上已经完成了。对印刷设计作品来说，意味着已完成纸张的采购、与印刷厂签了合同，其余工作转由印刷公司完成。环境设计作品，如展览或标志设计，则意味着材料已经生产并安装到位。对于与网络相关的设计项目来说，成品阶段是指完成编程、纠错，从而实现网络的各项功能。

以上各阶段听上去很简单，但即使对大多数有天分或有经验的设计师来说，设计过程远非直线性的或有方法可循的。创造力实质上就是重复，一旦在设计过程中达到某一目标时，需要回溯或重新调查，从而使某一设想经过实验和更改变得更为明晰。但情况往往是一些本该出现在较早阶段的思路和图像，出现得相对较晚，而需要进一步具体化。

设计过程也可以称为是一种选择的过程，这些不同的选择先就其有效性进行一般的比较，然后再进行特别的比较，直到设计师得出结论——得出一个符合所有标准的

"最终"结论。甚至对那些以高度直觉进行工作的设计师，或者没有明确阶段划分的设计师来说，从始至终，设计就是一个制作、尝试、选择、再制作，并从每一个设计活动中积累知识的过程。

无论设计方法是什么，也无论设计作品是抽象的还是具体的、纯视觉的还是文字的，所有有效的设计都依赖于这些因素是如何被构建的，如何用来传达更丰富、更复杂的创意，如何去吸引、说服和进行启发的。

即使对经验丰富的设计师来说，上图的设计过程也是相当的漫长。这个图例展示了设计师在设计《设计元素——平面设计样式》这本书的封面时自己的设计思路。第一轮创意产生了基本的版式，客户从中选择了一个作进一步展开。

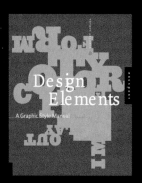  

按要求进行的修改主要集中在色彩关系和特殊的细节上，如文字的位置。然而，除了继续鼓励设计师的创意外，客户又提出了一个全新的方案。

在提出来的新方案中，设计师和客户都认为，有两个具有相似元素的方案能够构成一个更丰富的组合。

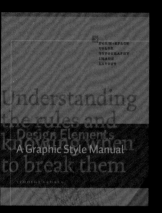

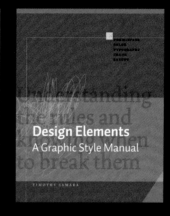

经过对色彩的进一步研究，如图所示产生了最终的封面设计。整体是冷色调的，一些抽象的元素呈现在层次分明的版面上。

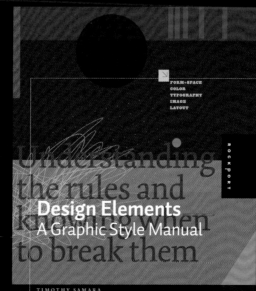

重温规律：
是什么成就了好的设计？

上图的讲座海报实际上运用了所有20个设计原理。作品以一个强烈的设计创意为基础，并融入必要元素来支持这个创意。清晰的层次关系和字体编排强化了设计的明确性、不对称性，并产生了大量的对比。图片是设计师为客户专门设计的，整合了字体设计和其他平面元素。整个设计周围，构图状态的变化呈现出一定的密度、节奏和运动性。

Laywan Kwan：美国纽约

这实在是一个太难回答的问题。好，根据谁的标准呢？当人们讨论好的或坏的设计时，实际上是在自己所受教育和经验的基础上讨论创意的水平。无论是审美性还是实用性，在生理学层面上，它们常常是以我们对感觉和知觉活动的理解为基础的——我们怎样去看，相应地我们的大脑又如何反映。理解这些功能及它们对设计表现的影响，是更有效地对广大观众传递信息的基础。至少，它们能够帮助人们避免因疏忽而造成的失误。而且，它们还是灵活的标准，使设计作品尽可能的出色。以下就是这20条设计规则。

What Makes Good Design?

Revisiting the Rules
重温规律

DESIGN EVOLUTION
完成设计

职业设计师的20条规则

1

必须有一个概念

设计从创意开始。这可能是非常不确定的——“把这些信息畅通无阻地组织起来非常重要。”也可能是有创意的设想——“如果这些饼干是用小精灵做的，可能味道会更好吧。”没有创意，就没有设计！

2

需要沟通，不需要装饰

我们经常说（最近并不常说），形式在功能之后。这意味着两个方面。第一，每一个点、线、肌理、形状、色彩和图像都必须与表现的概念有关（见规则1）。第二，上述每种造型都应有一定的含义。如果仅仅是因为你认为这个造型很棒而让它单独存在，那你就应该删掉它。

3

用一种视觉语言来表达

一个设计作品的所有组成部分都应在同一视觉水平上彼此关联。这就是说，为了表现出它们是某个统一信息的一部分，它们应该具有相似的特性。

4

最多用两种字体

也许是三种……但是太多的字体只会让你误入歧途，甚至只注重形式。你用这些字体所做的一定要有意义。一次运用同一种字体类别，但有不同字重和字宽的区别就足够了。

5

分清主次，先后出击

说到主次，先对一种元素进行视觉强化吸引观众的注意力。然后用一系列的大小、重量、色彩的变化等，来引导观众。在重要的元素下划线或说明。如果观众分不清设计首先要突出什么，他们会因迷惑不解而离开。

6

按需选择色彩

色彩感觉是主观的，这不全是猜测。色彩有其文化含义，并且彼此有视觉联系。用以上这些“实际的”因素、有意义的方式，以及视觉上动态的方式来选择和组合色彩。

7

如果能够做到“少即是多”的效果，就去做吧

这是“少即是多”的另外一种表达方式。这关乎节省；只表达必须要表达的。如果“必须”本身也可减少的话就更好了。想想看，一个普通的观众平均要接受多少信息、多少资料、多少令人厌烦的信息点（还不算那些垃圾）。那就按这个原则来进行设计吧。

8

负空间具有神奇的力量，创造负空间，不要填满它！

尽管在一个设计作品中，围绕着形状、图片和文字的空间看上去是空的，但实际上这些“空”也是一种形。设计这些空间的时候要仔细考虑好。这些负空间组合得越好就越有趣，整个构图也就更醒目。

9

把字体当作图像进行设计

这是最难掌握的规律之一。字体也是一种图像，虽然看上去更像别的什么。此时更应考虑文字字体的视觉特性，与其他图像资料的关系，以及把它整合到整个构图中去。

Twenty Rules Working Design

10

让字体效果具有亲和力

如果不能辨认，那还叫什么字？要反复记住这句话。在选择文字的风格和大小时，要考虑观众的受教育程度，他们的日程，特别是他们的年龄。书写文字的存在就是为了传达信息，你的客户付酬给你也是为了让你代表他传达信息。如果这些信息无法辨认，不管是什么原因，那这些文字就根本没有意义。设计师自己，也快失业了。

11

让作品人人都能看明白，
不是自娱自乐

如果设计师的兴趣在于表现心目中的神祇和精神化的东西，那最好还是做个画家到画廊去工作吧（说实话，那儿的收入更好）。设计的目的（不管那些美术学硕士怎么说）实质上就是为了大众接受：你在为大多数人传达清晰的信息。你设计的图片越容易懂就越好。

12

动静有致：形成密度节奏与开放空间

视觉疲劳的解药是紧张，有一种很简单的方法，就是不断地改变视觉元素的大小、重量和空间，让它们看上去好像在不停地变化和移动。

13

烟花与朝阳：安排明暗关系

在一个构图的不同区域完全改变明暗分布和明暗对比：清晰或刺眼，流动或朦胧，醒目或干净……

14

要果断：
要么按目标去做，要么就根本不动它。

在设计安排上应避免犹犹豫豫像。一种设计元素或另一种元素，一种方法或另一种方法，都应该清清楚楚。模棱两可可能有用，但即使如此也应是主动的效果，而不是因犹豫不决而产生的一个糟糕的副产品。

15

用眼睛测量

我们的两个眼睛看到的东西可能跟实际有很大的不同。比如，一个实心的、平面的圆点和一个正方形，尽管实际的大小相同，但看上去却显得不同：因为点的轮廓是模糊而呈环状的，所以在面积上有收缩感。所有的视觉形式都是相互起作用的，你可以按照你希望的样子来安排。用目测：一般看上去更好。

16

设计图像不要选用现成之物

随便找一些过时的照片，把它们按类型堆起来，这很容易。任何人都会做，很多人也是这样做的。但是至少应该把那些找到的图像换成需要的图像，为客户，也为观众。

17

对流行置之不理，严肃对待设计

现在什么最时髦？时尚很容易被忘记。你可能挣了很多钱，但你早上感觉如何？100年后你的作品会被记住吗？时刻牢记着"无限"这个词，并在概念、含义、功能基础上，而不是在最新的、肤浅的时尚基础上做设计。

18

动起来！静止等于索然无味

两维的图片看上去是运动的，与那些不动的、呆板的、无生命的图片相比，更能吸引观众的注意力，并使其保持得更为长久。将设计元素错落地安排在不同的空间位置和方向上，营造一种空间深度和运动感。做更聪明的组合。

19

回顾历史，不重蹈覆辙

很多成功的设计都源自以往的开拓者，以及所有人类努力的结果。要理解一个著名的设计是如何成功的，和照搬照抄可是两回事。可以借用其中的一部分……但不要在恭维和伪造间超越界线。

20

对称是最大的祸害

对称地组织材料会产生一种重复的、空间上静止的效果，违背了第18条规则。同时，对版式来说，对称意味着一件事：存在一个中心。这不能给观众带来任何新鲜的感觉。实际上，是版式设计了设计作品，而不是设计师设计了设计作品。

视觉工具箱

The
Tool

平面设计师对文字性的概念进行比较，并且赋予它们一定的造型，然后将这些造型组合成具体的、有引导性的设计作品。作品水平的高低依赖设计师对设计所需知识和技巧的掌握程度。这些技能和知识很多，在这个巨大的工具箱里，有形状、色彩、透视技巧、不同种类的图像，等等，可供设计师选择。

　　《完成设计——从理论到实践》这本书详尽地分析了设计师如何运用这些基本的要素，成功地获得极其有效的视觉传播，产生的效果远远大于简单地将这些元素相加产生的结果。设计作品正如一道美味的炖菜：肉、胡萝卜、土豆，还有盐、胡椒粉和肉汁都是炖菜佳品，但只有把它们按一定比例混合，才能产生完全不同的美味。设计师就像一个好厨师，他知道每一种原料的味道，而且更重要的是，知道如何搭配。

　　本章我们将具体学习平面设计中这些基本的视觉元素。

Visual box

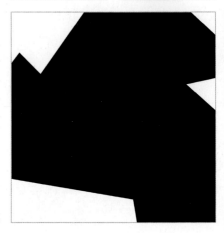

所有的平面设计，包括所有的图片制作，无论其方法和目的如何，都应归结到对造型的处理上。造型即"内容"：形状、线条、肌理、文字和图片。我们的大脑运用造型来辨别所看到的东西；造型即信息。造型要设计得尽可能的漂亮，才能提升设计水准，吸引更多的观众，并使造型本身更为醒目。

依据情境的不同，"漂亮"一词有不同的含义。醒目的、特别的、抽象的插画漂亮；矮矮胖胖的木刻字体也算是漂亮的；各种草图都可称之为漂亮。作为形容词，与其用"漂亮"倒不如用以下词汇来代替："融合的"，意思是说造型中的每一个部分都彼此关联，不能忽视任何一个，或彼此相背离；"明确的"，是指造型必须给人一种自信、可靠和有目的性的感觉。

造型被认为是主动的元素或物体，而空间却被认为是被动的——是造型成为"图形"的"基底"。造型与空间，或者图形与基底的关系是互相补充的，不可能其中一个改变了，而另外一个不变。图形与基底之间的相对关系说明了观众感知到的视觉活动的类别与维度感。

所有这些特性从本质来说都是表现性的。解决了图形与基底的关系，是在观众理解一张图片或一段文字内容之前，传达一个简单而综合的信息的第一步。通过组织图形与基底来完成一个构图，对设计来说至为重要，因为它影响了设计的其他方面，如一般

的情感反映和信息的层次。

明确而精练的构图表达了清晰的、容易接受的视觉信息。在这里，使一个构图明确而精练，一是要懂得造型所要传达的是什么样的信息，在空间中起什么作用；二是对观众来说，将这些东西组合起来会达到什么效果。当然，这里又带出了"明确性"这个问题，即是构图和构图中的造型是否能够被迅速理解的问题。

造型与空间
Form and Space

造型，或"图形"，被认为是主动的元素，即"内容"；而空间，或"基底"，则被认为是被动的，或对立的。两者相互依存，不可能一方发生了改变而对另一方毫无影响。一个好的构图最基本的要点是在"主动"与"被动"间创建一种动态关系。在本页图例中，简单地改变图形的位置和大小就会在空间中产生不同程度的动态。最后一张图中，"主动"与"被动"的关系完全改变，这种状态叫做"图形与基底相互转换"。

这其中一部分要靠改进造型，另一部分则要靠造型与空间关系的明确性，及这种关系是否"确定"。造型与空间关系的"确定"性表现在是否明显的是一个东西而不是另一个东西。例如，一个造型与它相邻的造型相比，是大还是小，或同样大小？如果能够迅速回答而无疑义——"左边的大"——那就可以说造型与空间关系是"确定"的。

造型的种类 有很多种基本的造型，每一种都有与众不同的地方。或者说，我们的眼睛和大脑所感知到的各种造型，因所起的作用不同而具有不同的类别。最基本的造型是点、线、面。其中，线和面又可以按照几何造型和有机造型进行分类。比如说，面可以是平面的、有肌理的，或三维的，或块状的。

点的定义就是注意力集中的焦点，可以同时是向内收缩和向外辐射的。也许它看上去就是很简单的造型，但实际上它很复杂。它是所有其他造型的基本组成部分。每个有中心的形状或块状物——正方形、梯形、三角形，或一个小圆点——无论它有多大，都可以说是一个点。

线最本质的特点是在构图中其中一个连接和关联的区域。这种连接可能是看不见的，是两点在空间上连接的延伸效果；也可能是一个可见的具体的事物，在起点和终点间来回移动。与点不同，线是活动的、有方向性的，是动态而不是静态的。点是关注的焦点，而线起着不同的作用。它或许是划分空间、连接空间或物体，或是划分隔离界线，包围、约束及交叉。

简单来说，面即是点，是更大的点，其外轮廓明晰且更能引起观众的关注。例如，看上去是有角度的或是有曲线的。当面不再像点而显现出自己的特性时，即使它们在视觉效果上是平的，看上去也像是有一定重量或一大块。面通常可以用另外一个词来代替，即"形状"。

形状主要分成两类：几何形状和有机形状。每一类都有各自正式的和表现性的特点，能对信息传递有直接的影响。

这张海报设计就说明了主动元素之间以及各元素与版式之间复杂的相互关系。注意造型之间多种多样的形状和不同大小的空间，以及造型与版式边界之间不同的关系。

Hesse Design：德国杜塞尔多夫

如果一个形状的轮廓是规则的，或者说，如果一个形状在各个方向上的外部尺寸都非常相似，而且，总的来说，如果这个形状是有角的或有轮廓鲜明的边线，那么这个形状就是几何形状。如果一个形状是不加修饰的、不规则的、没有边角的，或者其肌理是自然状态的，那么这种形式就是有机形状。

造型表面活动的特性使不同的造型彼此区分开来，就像造型通过自身不同的轮廓来彼此区别一样。表面活动可以分为两种基本的类型：肌理和图案。"肌理"是指表面活动是不规律的、不重复的。因其这种内在的随意性，肌理一般认为是有机的或自然的。

而"图案"则具有几何形式的特点，是一种特殊形式的肌理，其组成部分按照可识别的、重复的结构排列。例如，点状的网格。图案中的圆点按照一定的结构排列，说明它们不是随意产生的，而是设计好的、有规律地产生的。

构图：打破并激活空间　当造型出现在空间里时，空间就被赋予了一定的含义。空间中每加入一个元素，都会使空间变得更为复杂，并创设更多新的空间。就像拼图板一样，使这些元素具有独特的形状，并与周围的造型相适应。

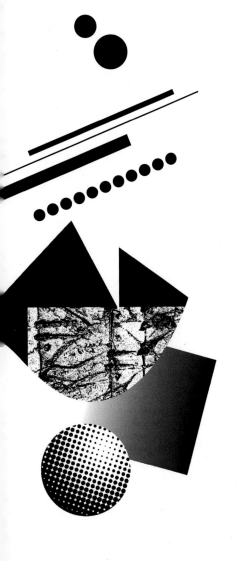

无论是照片形式的还是抽象形式的，所有的造型都可以分为四类：点、线、面或块，以及表面的活动性（图案或肌理）。以上任何一个类别里的造型又都可以分为几何造型或有机造型。点是无方向性的，是注意的焦点，并且是向外辐射的。线的作用是连接、区分及移动。面实际上是大的点，只是外延发生变化。在表面活动性里，"图案"是重复的、有系统性的，而"肌理"则是无规则的。

上图的广告是研究线排列节奏的实例。各种不同的树枝和工具按照结构简单排列，就像看上去的那样，只是按照构图排列的简单线条：有些是绝对垂直的，而有些则是死板地排列。设计师按照每个元素从上至下的垂直关系，精心安排了它们的位置，同时利用它们各自的形状，引导观众的视线从单个元素到整个设计。

Studio Pip & Company：澳大利亚墨尔本

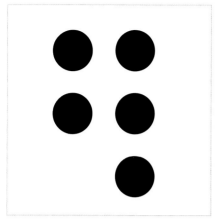

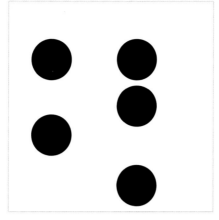

和一个更活跃的造型，如斜线，并行排列并进行对比，奇怪的是，好像一个静止不动而另一个在运动。改变元素的间距并同样进行比较，奇怪的现象又发生了，空间位置的改变使造型也相对改变。由这种重叠、出血和有节奏的间隔空间产生的活动程度，会造成运动或静止度的改变，设计师在进行另外的设计之前，必须控制好以上因素。

对称和不对称 构图中的造型之间或造型周围所有比例发生改变的结果，是改变了对称性。对称是指形围绕着整个设计的中轴（无论是水平轴还是垂直轴）排列，或造型按其自身的中轴排列。对称使造型周围的一系列空间，或者围绕中轴的造型的轮廓相等，即这些空间和轮廓是静止不变的。

不对称性则显得较为复杂，人的大脑需要权衡不同的空间，眼睛的活动也有所增加。从传播的角度来看，当观众因设计元素过于整齐而对空间变化迟钝时，不对称性可促进人们区别、分类、回忆内容及认知的能力。内容总是不同的，也总是在变化的，因此运用不对称的方法，可使设计师更为灵活地表现内容的空间需求，也可以基于不同部分的空间特性，为它们创设出一种视觉关系来。

正空间和负空间的比例要么是静止的，要么是动态的。因为图片已经是在一个平面的环境里，其中的活动及深度都被作为一种错觉来改变两维的趋向，从而发现静止的重要性。

当构图中的空间在视觉上彼此对等时，它们看上去常常是静止的，就像在休息停顿的状态。而当改变造型之间，或各元素与版式之间的内部空间时，构图就变成了动态的。当这些间距的对比加强时，这种活动感更强。

在一个构图设计中，设计师可运用多种基本规则来组织造型。当所选择的造型开始向观众传递一定的信息时，它们在版式中的相对位置，它们之间的空间以及它们彼此之间的关系都有助于传达另外的信息。除了在版式平面中并行安排各种造型，设计师也会在一个虚拟的维度空间里组织造型，即把造型放在前景、背景，或两者间的其他位置。重叠、出血，以及相对于其他造型进行旋转，都可产生一种运动感。在维度空间中的造型常常被认为是向一个或另一个方向活动——倒退或前进。将一个静止的造型，如水平线，

当造型进入空间，就会随之改变空间。空间的改变之所以会对构图的整体感立刻产生影响，仅仅取决于各个区域的对比和视觉活动的程度。上图的第一个例子表现了造型的静止安排和无差别的内部空间。而第二个例子则表现了改变内部空间，从而产生张力和开放性的效果。在这个构图中的所有空间都被利用了，也可以说是"被激活"了。在空间中造型的安排可以采用许多方法，每一种都对空间活动的程度和在构图中的安排起着不同的作用，因而会使造型自身具有其他的含义。

上图是两张图片的对比。一个是一种澳大利亚葡萄酒的推销卡，另一个是舞蹈表演的海报。这两张图片表现了对称性和不对称性所产生的空间特性的差别。

Parallax Design: 澳大利亚墨尔本

STIM: 美国纽约

本作品运用了多种设计元素，这些元素彼此作用。曲别针在一个黑色的长方形上，与照片重叠，并与照片的斜边产生对比。照片上还有手写体的白色问号。整个画面强烈地吸引着观众的注意力，并显示出设计师的技巧和信心。

Studio Pip & Company：
澳大利亚墨尔本

激活空间　　在一个给定的空间里组织造型的过程中，一部分空间可能会与其他空间分开。一部分也许会被一个横跨整个版式的、更大的元素明显分开或封闭起来；或者，这个部分会在视觉上被分开，因为一系列的造型排成一行，阻碍了视线，从而无法看到造型之外的空间。在整个版式的某个部分，有一些造型产生的主动的组合，结果会造成空间有空旷感或从这种活动性中分离出去。以上所有情形，空间都可被称为"停滞"或"静止"的。

"停滞"或"静止"的空间可能会引起注意的原因，是因为这个空间无法与构图中的其他空间彼此呼应。激活这些空间就是使其与构图中的其他空间重新交流。

构图对比　　要设计一个具有不同表现力或不同特点的区域，一个彼此相对比的区域，实际上是设计一个容易改变的、动态的构图。"对比"这个词一般适用于特殊的关系（如明与暗、圆与角、动态与静止），但它也适用于造型与空间相互作用的关系。有时各种对比状态的集合也称为"张力"。

在构图中的某个区域，有圆角与尖角的强烈对比，而在另一个区域中，所有形的角度都是相似的，从而产生倾斜度的张力。一个构图中，紧密的、有节奏的活跃的区域，与更为开放、更有规律的区域的对比，也可以被称为是在节奏中产生张力。

右页上图：在这个癌症研究中心的年度报告中，这些线条实际上是DNA的抽象图，非常直接地表达了观点。线条的不同排列又引出文字和图片。设计师同时又运用这些线条的排列来传达"有活力的步伐"这一理念。

Ideas On Purpose：美国纽约

眼见为实　造型与空间相互作用的结果是什么？从最基本的层次来说，结果即是含义。无论是线、点或面（也无论什么样的面），因为它们彼此明显的区别，而使抽象的造型具有了一定的含义。

在不同类别的造型或造型的不同部分中形成对比，有很多方法，对比的程度也可大可小。设计师可以通过使一个部分对比较弱，而使另外一部分的对比加强来掌握对比度。因为很容易对一个造型作微小的调整，那么也能很精确地控制不同造型的差别。设计师通过预设一个焦点，使观众先区分出一系列元素，再对它们进行对比，从而表现一个造型中各元素的差别。这种对比产生很多问题：每一类造型实质上是什么？如何区分它们？

这种差别意味着什么？这种区分会使这类造型明显地比其他造型更重要吗？

当造型参与到空间关系时，当它们彼此的块状或肌理特性相同或相反时，当它们因旋转而具有独特性，或重复、排列、聚合或者彼此分离时，造型就获得了新的含义。造型的每一种变化都会向观众传达新的含义，加在它已向观众传达的其他含义之上。

在这张海报中，对称性将焦点集中于图形之上，产生一种内在的含义。由重叠的椭圆产生的圆形实际上是一个光晕或光环中的点。这个点也代表眼睛，占据了作品的主要位置。所有这些元素都表达了一个观点：一神论宗教无所不能的力量——世界上只有一个上帝。

Studio di Progettazione Grafica：瑞士塞维尔

几乎没有什么视觉元素能像色彩那样具有强烈的表现力。色彩是一种非常有效的表现工具。但是由于反射的光线是经由眼睛将信息传递到大脑的，因此色彩所传达的意义也是非常主观的。人类的色彩感知系统都是相同的。我们对所看到的事物做出反应，并且利用色彩的视觉特点达到传达信息的目的。

一种色彩由四种基本要素决定，这些要素与我们对光线本质的感知有关。色相是指色彩本身，即红色、紫色、橘色或黄色。色相是我们对以一定的频率从物体上反射的光线认知的结果。作为色彩的四个内在属性之一，我们对色相的感知是最绝对的。例如，我们看到一个色彩是红色或蓝色。但所有的色彩感都是相对的，只有当一个色彩与其邻近的色彩进行对比时，这个色彩的色相才能被确定。色彩的纯度是指色彩的强度和亮度。纯度高的色彩是强烈的或激进的。

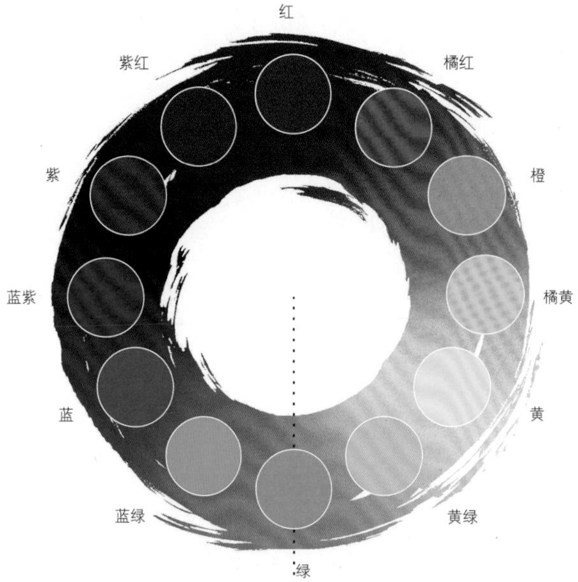

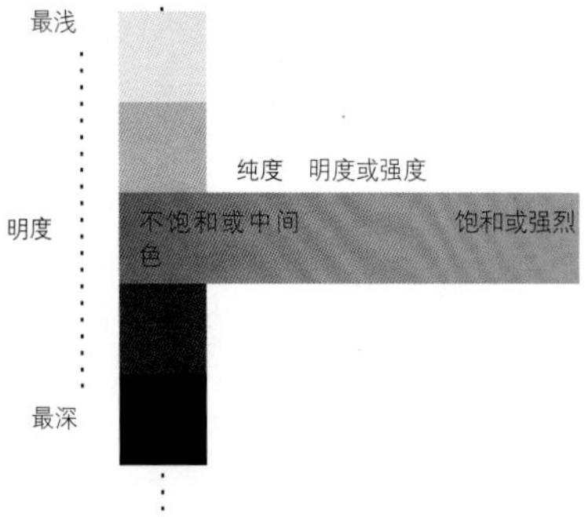

红

紫红　　　　　　橘红

紫　　　　　　　　橙

蓝紫　　　　　　橘黄

蓝　　　　　　　黄

蓝绿　　　　　黄绿

绿

最浅

纯度　明度或强度

明度　　不饱和或中间色　　　　　饱和或强烈

最深

色彩
Color

色彩之间的关系由它们在孟塞尔(Munsell)色彩轮中的相对位置决定。光线的波长决定色相，并表现明暗值和纯度，也叫饱和度或亮度。这些属性都分布在色彩模型图的不同位置上。

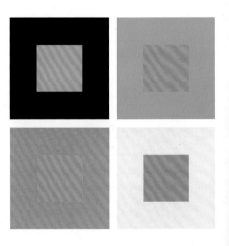

色彩是相对的，色调、色温、明度及纯度都因其邻近的色彩而发生变化。在上图中，中间的样本色彩与其他色彩混合而发生了变化，这种变化的效果叫做"即时对比"。

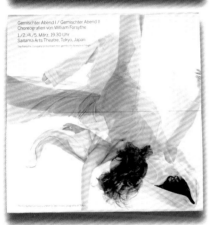

有时颜色很暗，但仍能感到色相，这种色彩就是纯度低；有时几乎看不到色相——像暖灰色——这种色彩是中性色。和色相一样，一个表面饱和的色彩如果和邻近的色彩进行比较就会发生变化。

色彩的明度 是指色彩固有的明暗度。黄色是亮色，紫色是暗色。当色彩与其他色对比时可能会显得较亮或较暗。例如，黄色与白色相比会显得较暗，这是因为白色是所有色彩中明度最高的一个。深蓝色或紫色与纯黑色相比会显得很亮，因为黑色是明度最低的一种颜色（事实上，黑色不反射任何光线）。

色温 是色彩与感知有关的一个主观属性。所谓暖色，像红或橙，会让我们想起热；冷色，如绿或蓝，让我们想起寒冷的环境或事物，像冰。

色彩的相互作用 色彩模型用来说明色彩间的彼此关系。有一种色彩模型叫色轮，是由英国画家及科学家Albert Munsell开发的。色轮是用一个圆形来表现色相：由不同的波长区分出蓝、黄和红；沿着转轮两侧表现色彩的明暗（明度）和相对亮度（纯度）。运用类似色轮这类模型，设计师可使色彩组合更加协调或者相应地增加色彩张力。

色相关系 根据色相在色轮上的不同位置，在不受纯度或明度的影响下，设计师可使不同的色相相互作用。色彩在色轮上的位置越接近，它们的视觉效果也就越相似，由此，色彩关系也越协调或相关。相反，色彩在色轮上的位置越远，它们彼此的视觉对比也就越强。

明度关系 除了色相外，色彩还有明暗关系。通过明度的大幅增加，或者明度的显著改变，甚至当明度或它们之间的差别受到限制时，设计师也可在较暗或较亮的区域表现对比或节奏。

纯度关系 纯度关系可不受色相关系影响，但会对明度或色温产生影响。一个纯度低的色相，会因其相邻色相的纯度高而显得较暗，也会因其相邻色相对是暖色而变成相对较冷的色相。一组强度相似的色相，只需改变其中一个色相的强度，就会使整个色彩更为丰富和协调。而互为补充的一组色相，或明度相似而纯度不同的色相，会产生一种色彩变化十分丰富的效果。

色温关系 设计师可以在相对温度的条件下在一个色彩系列里建立色彩关系。一组相似色温的色彩，在相同色相里发生了一种或两种变化，会使色彩变成暖色或冷色。如较冷的绿、蓝和紫或一个较暖的绿色，在保持色彩环境不变的情况下，通过组合会产生数量庞大的不同色彩。

一种可能影响所有色彩关系——无论是色相、明度、纯度还是色温关系——的视觉反应，即"即时对比"：当它邻近的色彩发生改变时，这个色彩也会随之改变效果。例如，当一个浅黄绿色与深蓝紫色接近时，可能会变得更接近暖色调，颜色也变得更接近黄色；但是当它与明黄绿色接近时，又会变得更接近冷色调，颜色也显得较弱。因此在选择色彩时应充分考虑"即时对比"效果，以及其他色彩可能产生的影响。

色彩：造型与空间 色彩也可表现出一定的空间特性。冷色看起来缩小，而暖色看起来膨胀。在主要色彩中，蓝色显得缩小，黄色显得膨胀，但红色却不发生任何改变。

上图是一个舞蹈公司所做的设计。舞蹈者的服装色彩表现出互补和相似的关系。在重叠的透明图片中，还表现出色彩强度和明度关系。

Surface: 德国美茵河畔法兰克福

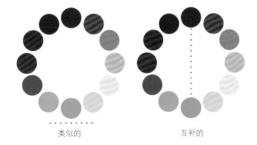

类似的　　　　　互补的

在构图中运用色彩，会立刻产生层次效果，影响空间中不同造型的重要性。如果在一个黑白构图中运用各类色彩，会夸大其固有的关系，或者使原有的关系变得模糊。在一个构图的基底中运用色彩会进一步加深层次感。一个单色的造型，在一个区域运用另一种颜色，会根据它们的色彩关系，彼此结合得更紧或迅速区分。如果前景元素与背景元素的色彩相关，这两个元素会表现出相似的景深；如果它们的色彩互补的话，景深则极为不同。

色彩故事 给色彩编码：在一个复杂的视觉环境里，色彩能够帮助区分不同的信息，同时也能在出版物的组成部分或不同版本间创建一种相互关系。例如，设计师将色彩运用于平面及字体设计元素中，帮助读者区分正文的各个组成部分（标题、副题和正文），或信息的各个部分。或者，设计师根据照片的色彩或主题为所有的元素选用一个总的颜色。也许这种颜色有一个不变的基础，就像暖色的、中性的色彩保持不变，而强调色发生改变一样。色彩的运用可传递信息：运用色彩来识别区域或组成部分，或者不属于本区域或本部分。

色彩编码是将色彩作为一个系列时的选择。为使其更为有效，色彩编码必须相对简单且容易辨别。用太多的色彩来编码会造成

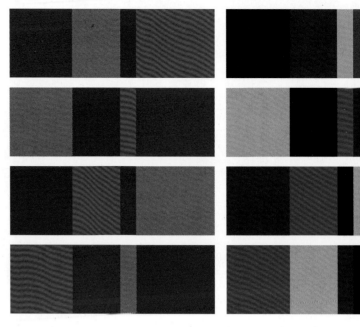

混淆，因为观众必须记住哪个颜色和哪种信息有关。在相关的一整套色相里，如深蓝、水蓝、绿色，色彩编码可以帮助观众在一整套色相里区分出信息的子范畴，并且保证观众能感知到色彩的差别。

进一步加强色彩的彼此相关性可能会更有帮助。例如，当黄色加进绿色时，深蓝色可能会更像紫色。一个系列中的组成部分，比如说，一套宣传册系列，会随着时间而改变，或者是加进新的组成部分，所以系列中的不同部分要彼此区分，清晰地保持这个系列的同一性。色彩编码不但能帮助观众迅速地区分不同的组成部分，也能继续加强系统的统一性。运用色彩的多少、它们之间关系的密切程度，都取决于在这个系列中有多少个组成部分需要表现出来。

有限的色彩系统 很多设计作品都采用全彩印刷或四色印刷，而如果选用其他特殊彩色油墨的话，则称为"专色"，从而扩展了设计作品的表现力。专色并不只是局限于小批量或低预算的项目。两种经过深思熟虑精选出来的颜色甚至比四色产生的效果还要好，同时还能进一步整合各种设计材料。

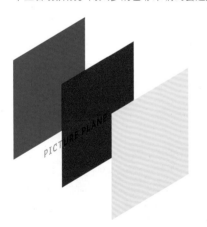

色彩对空间位置的感知有一定影响。红色给人的感觉是静止的，像在图片的表面（上图）。不同于红色，黄色好像在空间前面，而冷色如蓝色和紫色给人向后退的感觉。

保持一定程度的统一，而只改变两种，甚至一种颜色，使颜色有较大的统一性，但却同时显得色彩丰富而复杂。

上图左：单一色彩改变系列。

上图右：双色改变系列。

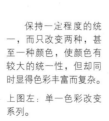

spring

shower gel

Gentle Daily Cleansing
for All Skin Types

Infused with Pure Flower
and Plant Essences

8oz/240ml

这一点经常用在商标设计上，油墨的相互关系就可与其他印刷品区分，进而强化品牌认知度。

当设计师只采用两种或三种色彩进行设计时，选择一种有动态色彩关系的颜色就显得非常必需。例如，运用两种互补色一般是设计师的首选。这两种颜色的互补性不一定确定。比如，蓝色和紫色可产生一种有趣的结合，并且还能保持它们之间的对比性，像蓝紫色和橙色。大部分印刷用油墨都是半透明的，因此设计师不但可以全部使用一种颜色，还可以浅浅地涂抹以降低明度。运用一种颜色或者与浅色相混合都可以，设计师还可以在一种颜色上覆盖另一种颜色。在一种颜色上覆盖另一种颜色称为"套印"，可以由此产生一种新的颜色。

色彩心理学　　色彩所传达的各类心理信息可对设计内容有所影响，包括对设计的影像及文字意义的影响。从人的本能和生理的层面来说，色彩作为一种情感要素与人的体验有很深的联系。不同波长的色彩会影响人的自主神经系统。比如说，暖色的红和黄波长较长，人的眼睛和大脑需要更多的精力来加工它们传达的信息。能量水平的提高和新陈代谢频率的加快可对人产生刺激作用。相反，波长较短的冷色，如蓝、绿、紫，只

需用很少的能量，同时会减缓人的新陈代谢水平，并产生舒缓和平静的效果。

色彩的心理学特性很大一部分也要依据人的文化及个人经验。在许多文化背景里，红色往往代表饥饿、生气或能量，因为红色与肉类、血和暴力密切相关。相反，素食者可能会把绿色与饥饿联系起来。在西方文化传统里，因为基督教占统治地位，黑色就与

死亡和悲痛相关。而东方的印度则认为白色代表死亡。很明显，在设计中运用色彩这种特殊的语言，并与文字相结合，可加深设计的含义。一个标题或题目用一种颜色和用另一种颜色所表达的含义可能不同。将色彩与文字结合，有助于选择最适合表达的色彩。

如图所示的洗浴用品设计，使用有限的几种颜色不但可以省钱，而且可以创建色彩编码系列，强化引导作用或突出产品。

Hyosook Kang: 美国纽约视觉艺术学校

上图，运用明红色和较冷的紫红色会加强招贴画中平面的维度感。

Leonardo Sonnoli: 意大利里米尼

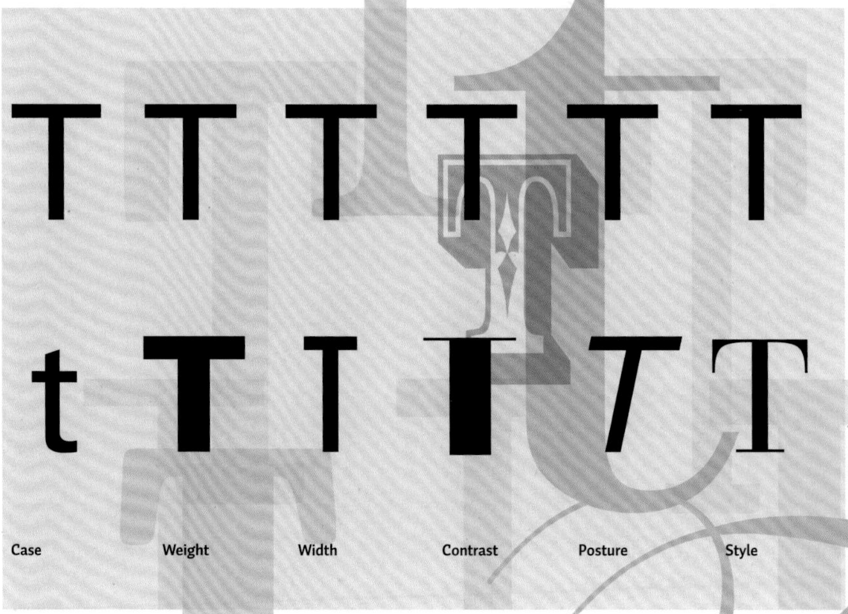

Case	Weight	Width	Contrast	Posture	Style

有关字体编排的知识相当丰富，要掌握其复杂性，所需的技巧也非常多。当设计师在处理概念和版式问题时，即使没有上千种、也有上百种相互关联的信息需要掌握：字母形状的微小差别；笔画之间系统的、有节奏的关系；字、词、句、段落的间距；文字段落的排列及与其他段落划分的习惯，等等。掌握以上细节问题，并了解它们对空间、组织、文体、易读性以及构图的影响十分重要。

视觉变化 所有字体的字形都是从六个方面改变原字形的：大小写、字重、对比、字宽、字形及样式。字体设计师只需按以上六点稍微改变并进行组合，就会产生独特的字体样式。字体设计有不同的方法，这些方法或者开始流行，或者随着时间的推移而被忘记。因此，某些特殊字体的构图要素往往携带了特定的历史时期、文化运动或地理位置的关系。

更重要的是，字体设计经常会表现出一种特殊的节奏或韵律，同时在设计中表现出明显的自然特性，并隐含着情感因素——快或慢，急躁或优雅，肤浅或可靠。不是所有人都会对同一种字体持有相同的感受，因此设计师必须站在观众的角度，仔细权衡他们所选择的字体。

字体编排设计
Typography

所有的字母仅因五个因素的改变而相互区别：字重、字宽、字形、对比及样式。这些因素的变化会使结构、空间及表达产生无限的可能。

组合使用字体样式　在为一项设计选择适用的几种字体时，传统而明智的做法是选择两类字体。作为一个基本的建议，这是一个好的开始：为表现最强烈的对比提供了一个框架，也迫使设计师学会控制。因为在所有的排字设计规则中，在是否受上述原则限制方面，上下文起着重要的作用。所表达信息的复杂性是一种可能变化的因素。整体的中性色彩、一致性和表现性则是需要另外考虑的。

　　两种并列字体的对比非常关键。要改变一种字体的唯一原因就是产生对比效果。因而，应该能够清晰地察觉到这种通过组合所产生的对比，否则，为什么还要改变字体呢？最基本的是不能用极端的字体，如字重（细体字对粗体字）、字宽（常规的对压缩的或扩张的），或者样式〔中性的无衬线字体（sans serif）对衬线字体（slab serif）或手写体〕。但是在字体的混合使用中，甚至在极端的对比情况下，所选择的字体中必须要保持一些造型上的联系，来丰富它们之间的

视觉对话效果。例如，选择一种字重或字宽相同的无衬线字体和有衬线字体，可以产生一种相同或不同的张力，可能会显得十分缜密。选择两种在字重上相似，而在字宽上不同或对比的衬线字体，可以获得相似的张力。

　　总的来说，除非普通观众已经充分注意到了它们之间的差别，否则要避免组合两种风格类似的字体。例如，混合Caslon字体和Baskerville字体，两种有着相似的中轴、字重、字宽及形状的过渡衬线字体就不是一个好主意。但是将一种有强烈对比的现代衬线体，与有统一笔画粗细的衬线体混合，同时二者有相似的字宽和中轴的，这种组合的效果可能就比较好。

字距与文本设置问题　字体的笔画会对其字号的大小感觉产生影响。一句话，用旧式的衬线字体和以相同字重、相同字号的无衬线字体表现，看上去却像是大小不同。差别在于无衬线字体有较高的"X"高度：它的小写字母相对于大写字母的高度要比那些衬线字母的高度高。根据字形的不同，设置的

字体大小和表面看上去字体的大小会有2到3磅的改变。无衬线字体中，像Univers字体，8号字就非常适于阅读，但对一种老式字体，如同样大小的Garamond Three字体，8号字就显得太小了。

对齐的逻辑　文本以不同的方式进行安排，称为对齐。可以排列成每行都从行首对齐（左对齐），或者各行的行末对齐（右对齐），或以段落中心为基准对齐（居中）。在这种情况下，有两种可能：在居中的情况下，行宽不同，并以中心轴为中心对齐；在两端对齐的文本中，行宽相同，左右两边齐平。第二种方式是唯一一种行宽相同的对齐方式。在左对齐、右对齐或居中的情况下，不相等的行宽在未对齐端所产生的轻微的弧度，称为"不对齐"。

　　文本的对齐会对文本当中的间距产生影响。在设置为左对齐而右端不对齐的段落里，字间距是保持统一的。在设置为右对齐、左不对齐和居中的段落中，字间距也一样保持不变。然而，在两端对齐的段落中，字间距则会发生改变，因为段落的宽度是固定不变的，而各行的字不管有多少，也不管有多长，都必须在两端对齐。

　　在两端对齐的文本中，字距的改变是一个最难克服的问题。在两端对齐处理得不好的情况下，字间距不断变化，导致空白沟过于突出，在视觉上使行与行之间的空白连在一起。

字体的"色彩"——文字间的密度、明度及对比大都由字距及字重决定。一个"色彩"好的字体是在松与紧、明与暗、直线型与方块型、肌理与紧实度方面有变化。本页图片展示了在文字的肌理、密度

及空间方面运用大量的变化，尽管主要的材料是单色的，但在版式上，可以说是"色彩丰富"。

Studio Pip & Company：澳大利亚墨尔本

在一些两端对齐处理得特别糟糕的排版中，空白沟甚至比行间距还明显，使得整个段落变成一堆杂乱无章的文字。

减少这种状况发生的一个方法，就是在排版之前，根据字体的大小，确定一种最佳的左对齐段落的宽度，然后稍微增加段落宽度，或将字体的磅数缩小0.5磅或1磅。

尝试不对齐的边缘　段落不对齐的安排可以由深入浅，由多到少，但从段落开始到结束的统一性和一致性是十分必要的。如果不对齐的行尾在段落结束产生了一种有机的、自然的"波纹"，没有明显的缩进或凸出，那么这种不对齐可以说是很理想的。一般来说，这种不对齐的部分大概占段落宽度

的五分之一或七分之一时最理想。这就是说，如果某种深度的不对齐能够在整个文本中保持一致，而且设计师可以通过加宽间距而减少不对齐的话，这种不对齐就是可以接受的。

最不能被接受的不对齐，是随着文本的延伸，不对齐的情况遍布各处。带连字符的词的中断是失败之源。一行里不能出现太多的连字符，只要稍微调整文本的长短或段落的宽度就可以纠正这个问题。段落的宽度主要依靠所采用字体的大小，以及每行可包含的字数。如果不考虑字体的大小或读者的年龄的话，一行可容纳50到80个字符（含字距）。一个字一般有5到8个字母，所以每行大约有12个字。

一个安排得好的段落，其中的变化会达到一种和谐的平衡。设计师首先要对一种文

本字体的理论适用性和它的视觉特性做一个假定，并以任意的宽度和文本大小设置几个段落。通过这种尝试，设计师也许就会调整文本的大小，放开或压缩文本空间，放大或缩小行距，并在其后的设计中改变宽度。

通过比较上述这些调整，设计师就能够决定哪种文本的安排最适合阅读。哪种字号的字体太小了或者大得让人不舒服？行宽大致上相等或改变很多吗？连字符是否过多，这意味着段落太窄以致不能容纳有效的字符数？是否行间空白太少使文本太密而感觉不舒服？在这个研究过程中，可能会有几种合适的宽度和行距供选择，但设计师在出版时会选择一种作为标准。设计师做出这种选择的同时，也确定了页面尺寸、合适的文本分栏数，以及其他文本最适合的尺寸，如插图说明、提要，等等。

视觉和信息特性　设计专业的学生和初学者经常会因忽视字体的抽象视觉特性而犯错，他们在进行字体设计时笨手笨脚，与图片材料不符，最终使文字与图片完全分离。字体也是视觉材料，在空间中，它对构图的作用，与点、线、面、正方形、肌理及图案的作用相同。除了考虑在设计中应采用何种字体外，字体的节奏性、空间以及肌理特性都应着重考虑。

文本的对齐逻辑会产生像文本元素分隔空间、文本元素间的空白等这样的结构，能够产生运动感和节奏感。像其他造型一样，在字体设计中也同样会有这种情况：

使字号和间距有规律以及对称性，会使构图有静止感，或者说可能产生单调的构图；相反的，不规则的关系、不对称会产生动态的构图。

在上图的招贴画中，对齐的相互作用及空白产生了一种节奏和活跃的空间体验。

Doch Design: 德国慕尼黑

总的来说，这些特性可以叫做"字体编排的色彩"。字体编排的色彩设计与所说的颜色类似，像红色、蓝色、橘色。但是印刷色彩只处理明暗或明度变化。此外，字体编排的色彩与一般色彩的差别还在于它表现了节奏和肌理的变化。

改变文本要素的字体编排色彩，可以把它们从背景中区分出来，同时产生一种景深错觉和节奏改变的感觉。例如，一大块文字看上去比一个稍小块的紧密，而较浅的部分在距离上有缩进感。字体编排的色彩、构图及文字的清晰度是不可分的：色彩的改变不但会使文字的空间和肌理特性自动改变，也改变了它的意义。

字体编排的色彩发生变化能使设计师突出结构并强调一个页面。

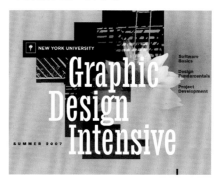

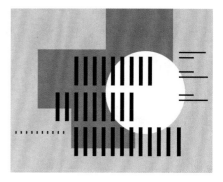

上图音乐会的招贴画中，文字要素与图像在整个画面上的流动感相呼应，并随着图像在比例、密度、明暗及运动方面的变化而相应发生变化。

Paone Design Associates: 美国费城

永远不要忘记文字也是视觉材料，就像图像的、抽象的形式，也必须与图像一样遵循一些组合上的原则，以便与图像一起在设计中合为一个整体。上图图表和海报说明了图像与文字的视觉相似性，跟点和线的特性一样。

STIM: 美国纽约

建立层次关系 信息是成系统的，并常常看上去像是各个部分的集合，每一部分都有其不同的功能，例如，杂志文章中的提要、插图说明和工具条，或者网页中的主目录、次目录及菜单。这些不同的部分经常是在同一个空间里重复出现，并互相支持。

设计师最重要的任务之一是给信息排序，以便于观众浏览。这个顺序，即信息的"层次关系"，是以设计师分配给文本每一部分不同的重要性为基础的。"重要性"是指"这个部分应该在第一个、第二个、第三个……被读者阅读"，同时也是指不同部分"功能的区别"。如连续文字，或一段文字的主体，应该在功能上与其他部分相区别，还有对开页、主标题和副标题、插图说明以及其他类似的内容。

层次关系是通过阅读文本并思考以下几个简单的问题确定的：在本设计中哪些信息是要区分开的？读者主要关注的焦点在哪里？非读者关注部分如何与其他部分进行联系？读者有必要在注意到主要部分之前看到其他文字吗？

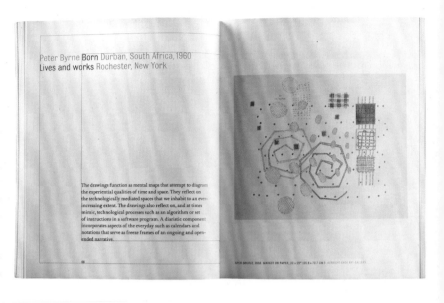

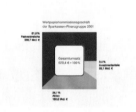

"层次"，即文本各要素重要性的等级，总的来说，可以通过一些区分相似性和差异性的方法来确定。那些在表面上看上去统一的文字，在重要性上比看上去有差别的文字弱。相类似的，读者会认为那些以相同方式处理的信息彼此关联，而以不同方式处理的信息没有关系。

在上图这个展览目录的设计中，设计师运用字号、色彩及位置为文字部分创设了一种清晰的层次结构。色彩用来区分在相邻文字中不同信息的差别。

Studio Blue：美国芝加哥

下图的设计师花了大量时间来设计这段文字。他们特别关注一些大的问题，像大字标题、装饰、文字、插图说明、标题的尺寸、空间的节奏性变化。同时也注重段落缩进、数字的空间，避免了留白和不恰当的断行等问题。

Hesse Design：德国杜塞尔多夫

在未经加工的构图中，所有文本的重要程度看上去一样。如果把文本安排在版面上，它们会形成统一肌理的区域。因为通过利用文字之间及其周围的空间可以建立层次关系，所以设计师的首要工作就可以通过不同的空间来确立不同的重要性。例如，设计师可能会将大部分的元素放在一组，而把某些特定的元素，比如题目分开，并分配给它更多的空间。

统一性通常是用来鼓励读者继续阅读的、比较受欢迎的方法，这时却被故意地破坏掉了，因而产生了可以吸引注意力的固定点，使这个元素显得比其他元素重要。通过改变不同元素的字体编排色彩而加大空间的

分离性，会进一步将这些元素区别开来。在设计上做同样处理的一些信息，会被认为是表达同样的事情，或者在功能上相近。

同时，在一个层次关系里的所有成分，都必须在视觉属性上彼此呼应。读者能够感知到字体编排设计特征上的微小改变，因此，应统一连续文本以避免影响视觉效果。但是层次关系之间的区别又不能太大，否则可能会产生视觉分离。总的来说，在信息组成部分之间，运用不同格式会产生这样的危险：作为一个整体的字体编排，事实上是整个设计作品，会显得十分凌乱，缺少基本的凝聚力，或曰"视觉声音"。这也就是为什么设计师被告诫，在一个设计作品中最多使用两

种或三种字体样式，并且尽可能经常地把具有相同特征，如比例、字重、最终的样式等特性组合起来的一个原因。恰如所需地限制字体样式差异的程度，来反映信息的变化，以使读者在保持视觉统一性，并且更清晰地确定内容的相互关系的同时，理解字体样式的变化。

字体的色彩效果　　色彩能够极大地强化字体的结构特点：醒目度、轻巧度、开放度、文字密度及在三维空间里的位置。能够增强这些本已在黑白色里存在的特性，色彩的相对明度，明或暗，在影响字体特别是可读性方面最为关键。明度越是彼此接近，字体与背景的对比越小，文字也就越难以从周围区域中区分开来。

因为色彩的所有特性会对景深产生影响，有颜色的文字元素也会显得突出，因此色彩的所有特性都会对层次有显著的影响。除字体本身的含义之外，色彩还有可能改变字体的含义和心理效果。

读者实际上能够发觉到字体的微小差异，也就是说，在层次或含义方面不需太明显的区别。例如，上图这本书的标题仅仅以粗体字区别开来，而其他所有的部分都与连续文本相同。

Surface：德国美茵河畔法兰克福

与可能已存在黑白设计中的层次差异的丰富性和复杂性一起，色彩对感知空间有极为显著的作用。明度和强度上的对比可以强化一个已形成的层次，或者通过模糊性有意加强其矛

盾性。上图中，较大的字体本应正常地出现在较小的字体前，但却因为色相、明度和强度较其他字体与背景的对比较弱，而显得向后缩进。

图像创作可能是人类最复杂的活动之一。一幅图像就是一种丰富的体验，一种象征性的、情感性的空间，代替了实际的体验。在平面设计中，有无穷的图像形式：符号与拼接照片、手绘图与彩绘图，甚至是字体，都发挥着不同的作用。图像为文字提供了视觉对比，帮助吸引观众。图像同时也为文字所描述的体验建立起了一种内在联系。它们只需简要地展示，即只要"看一眼"就能够阐明复杂的信息，特别是那些概念性的、抽象的，或者那些标明步骤的信息。

每一张图像都是文字、具象和抽象之间的统一体。纯粹抽象的图片传递的观念，是建立在人类体验的基础之上的，就连表达真实存在的照片在某种程度上也是抽象的。运用隐含在抽象形式中的信息来影响照片的构图，会强化其潜在的信息性。同样，在一个抽象的构图里加入具体的、文字性的元素，也会帮助观众了解信息的实际含义，更容易被观众所接受，并且不会牺牲抽象图像的简洁性和内部感召力。

图像的表现形式叫做"模式"，不仅包括图像的简洁度和抽象度，还包括二者间的中间状态。设计师在选择正确的图像模式时必须要考虑许多问题，如：这个设计项目在引起观众共鸣的情感特性；不同的模式用来区分不同类型的信息；这个项目涉及的观众的人口组成，或者社会环境和历史背景，使观众对某一图像的期望，会影响到他对其他图像的体验；一些设计过程方面的因素，像预算、设计所需的时间及相关的制造方面的问题。

图像与"自然的"状态相差多远，或者说对主体"纯粹"的描述，有多大程度被设计师所改变，就说明了这个图像的"中介性"的程度。图像中介性的程度取决于许多方面。首先，要根据图像的物质状态来考虑，或它是如何被创作出来的。例如，一张现实主义的绘画就比同题材照片的中介程度更高。第二，图像的中介性也可由图像中信息的复杂程度来衡量。一个写实绘画的图像，在中介性方面就比一个设计感强的照片或抽象派拼贴画更少一些。

风格化　图标是一种视觉符号，与它所指示的对象有结构上的相似性。一般来说，图标缺乏细节，并且写实地表现所指代的对象。指示符号是一个图像，间接地指向它所指代的对象，或者"代表"它，例如，鸟窝指代鸟。象征符是图像最中间的形式，是在普遍的认同和相同的文化背景中创作出来，从而使它们不仅仅是一种指代符号。

Der Deutsche
Schulpreis

Image
图像

图像的表现是一个从具象到抽象连续变化的范畴。越是靠近具象形式的图像，就更具写实性，而越是靠近抽象形式的图像，就越需要解释。

上图中的符号将一个鸟的图标与学生的椅子结合起来。这些元素的组合产生了一个具有象征意义的简单的超符号，因为观众会将某种含义与"翅膀"联系在一起。

Hesse Design：德国杜塞尔多夫

超符号在指一个单个的、格式塔的组合中添加一个以上的符号（往往多于一种符号类型），其中的所有符号都清晰可辨。标志就是一个典型例子。

插图和照片　选择用插图而不是照片，能够极大地拓展传达信息的手段。设计师通过选择媒材、构图和动作特点，不但摆脱了真实事物和环境的约束，而且还可能表达了概念性的部分、提高细节性的表现，以及设计师在视觉表达上个性化的阐释。插图既可以是运用传统的经典的素描或经典绘画具象的描述，目的是反映真实场景的光线、造型及透视，再现一个经验的世界，也可能是一个图表风格的图像，更加抽象，并指向真实的世界，但偏重于对动作姿态的表达特性、模糊的空间以及图片创作的过程。在具象与抽象这两极之间，每种形态都存在着将所有元素混合的可能性。

线条就是线条，或者什么都不是。每一种绘画或着色工具都会有自身独特的特性，并且为设计师提供一种特别的视觉语言。这种工具的语言会对插图的表达效果起很大的作用，而不仅仅停留在对一个设计方案中，相对于其他元素的、自身的视觉特性发生作用。除了对题材的基本选择、构图、风格化程度，设计师用来创作插图的媒介都蕴涵着意义，有些是基于情感的因素（如温柔、严厉、流畅、僵硬），有些也是概念性的因素（例如，用一种源于某一地区或某个历史时期的绘画工具，设计出一个跟这个地区和时期相关的项目）。

然而，对观众来说，运用插图来表现图像，有时也会牺牲一些可靠性或真实性。尽管大部分的观众都知道照片很容易抓拍出来，但还是会因此产生误解，他们在看到照片的时候会直觉地认为它是"真实的"。对

上图所有的图像描述的都是一个物体——人体，但用了不同的模式。这些模式按写实性到风格化排列，每种模式都内在地改变着图像的中介程度。在这组图像中，"纯粹"的照片形式是中介化最低的一种。两幅绘画图像从本质上来说，比照片形式的图像中介化更强——设计师是创造了自己对事物的描述方法。但在这两幅绘画作品中，自然风格的绘画又比另一张的中介化低一些。

这幅拼贴图融合了说明性和照片性的元素，同时还包括图标和表现性的写实元素。大提琴的图像和以上这些表现模式一起，不仅创造出了一种更复杂的符号，而且创造出高度中介化的图像——设计师所表现出的这种高度中介化的程度，都是为了产生出意义来。

客户而言，设计师在说服方面已经取得了优势，因为让观众相信图像的目的已经达到了："眼见为实"。

相对其他的图像来说，照片的内容必须有清晰的构图。不过，对摄影者来说，在处理图像的构图方面有两次机会：首先，是照相机的取景器；其次，是暗房里的晒相过程（或者使用软件的数字化剪裁技术）。在摄影中，色调的安排，即灰度的数值和深浅，尤其值得关注。在传统意义上，一个"质量上乘"的照片，包括清晰、明亮的白调子，暗部的黑调子，阴影处的细节表现，以及它们之间一系列流畅的灰调子。要提亮色调，就会降低图像的对比度，并且在某种程度上，使图像更平面化。降低色调也会使图像平面化，但会增加对比度，并使画面的高光区更加明亮。

字体作为图像　当一个字母或词超出它本来的形式，而呈现出图像的特色时，字母或词就转化成了图像，其潜在的语义含义一下子丰富起来。字体即是图像包含了很多种意义：文字成为了超符号。通过每一种感觉滤器——视觉的、情感的、智力的——文字的意义被图像所同化，上升到形象再现的

符号的高度。观众对图像每一个层面的理解都是直接的，他们有着回忆图像的能力，在联想文字的内容时，这种文字—图像的效果非常有效。

混合的图像风格　在所有的构图法则里，使版面生动活泼、充满活力，令人拍案称奇的关键，是形成视觉元素的对比效果。图像也遵循着同样的道理。改变图像的尺寸、形状、色彩及空间排序，从而产生对比效果。此外，将不同的图像模式组合在一起，也是表现对比的一种重要的和极为有效的方法。例如，纹理丰富、线条形的插图，会与有连续色调的照片产生强烈对比。同时也会与平面的、固定的平面元素产生对比。

重要的是，当这些不同的图像风格彼此结合产生对比时，它们也有一些共同的视觉特性。设计师必须按照设计目的有选择地组合图像风格，利用它们各自的特点来恰当地传递信息，用统一的视觉语言来彼此相互作用，从而将它们的差别统一起来。

图像与叙事　把照片放在一起，可以提高它们的语义性和叙事性，或者叫故事性。两张图片无论是并排摆放还是按次序排列，都可能产生对比，观众会试图在二者之间建立起有意义的联系。每张照片都会对其周围的照片产生影响，改变它们本来的意义，结果生成具有叙事性的序列。

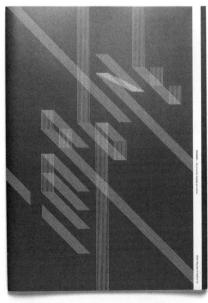

上图一，标志设计形式的改变产生了一种三维透视感以及前后的运动感。

Surface：德国美茵河畔法兰克福

上图二，去掉图中文字的元音字母是一种语法解构，暗示了客户的名字。

Parallax Design：澳大利亚墨尔本

上图三，可采用许多方法将文字转变成图片。图中钟表的图标代替了字母"O"，不仅把文字变成了图片，还产生了一种超符号。

Studio di Progettazione Grafica：瑞士塞维尔

上图四，改变文字的形式产生了一张三维图片。

Gollings Pidgeon：澳大利亚阿德莱德

右图，小写字母g被改变成图案，表示一种具体的事物。

Parallax Design：澳大利亚墨尔本

总是要估量到相似性和分离性，所以要考虑什么样视觉形式的混合，对设计项目的视觉语言和概念最为恰当。在上图例中，每一种组合都产生同样的主题：一个是图标形式的，另一个是具体的照片。

多数图像都是并列的，或者是添加为一个序列，它们的叙事性就要靠观众复杂的猜想来实现。当观众依次看到三或四个图像时，他们避免臆断的能力越来越弱，并且开始寻找设想中的叙事含义。这种"叙事动力"会成倍增长，直到后出现的任何一张图像的语义内容，都跟之前出现的图像有关为止。

当文字与图像并排时，图像很容易发生变化。变化之大，足可以使设计师轻轻松松地通过不断改变文字来改变图像的含义。在连续几页的跨页篇幅中，同一张图像重复出现，每页仅仅替换新的词语或短语，观众会对这张图像产生新的体验和认识。毫不奇怪的是，图像在改变文字的意义方面也有相同的能力。这种文字和图像相互"洗脑"的效果，很大程度上取决于它们出现的同时性。也就是说，两者是否并列，或连续出现。

如果观众同时看到文字和图像，它们就会产生一个独特的信息，其中文字与图像相互推动了信息的形成，但两者没有任何一方可以真正改变观众的看法——这样的信息就是格式塔。但是，如果文字和图像中，观众先看到一方，而后看到另一方，在两者产生影响之前，观众就有机会构建意义。

用什么方式隐喻?　在写作和演讲时，隐喻是指一种字或词的表达方式，用于表示不相关的意思，产生附加的意义。图像同样有隐喻的手法：设计师会用完全是另外一种意思的图像，以揭示更为宽泛的理念；或者将理念组合起来，使人联想到没有明确表达的第三种含义。

视觉隐喻设计方案之一，就是用一种事物来说明另一种事物的形式。例如，制作一个关于旅游资金筹集活动的请柬，把它设计成机票的样子。把类似机票的字体风格、颜色和其他视觉细节作为设计素材。第二种视觉隐喻的设计方案，是用绘图的方式，把一件事描绘成另外一件事。例如，在设计城市化妆品宣传册中的产品时，描绘成城市的轮廓。

隐喻的方式多种多样，所带来的理念与图像也丰富多彩。总之，只有有限的想象力，没有办不到的排列方式。图像的写实内容为信息传达提供了一个底线。有创意的设计师可以借用图像表达更高层次的概念，远远超出图像表面所显示的内容。设计的结果，是为观众带来更加丰富多彩、更加具有创造力、更加印象深刻、更加意味深长的体验。

文字和图像相互影响彼此的含义。在上面一组图片中，比较一下图像与图像、文字与图像、文字与文字的效果。

左图台历的设计师，运用文字来表达照片的意义。在这些跨两页的设计作品中，因抬头文字的不同，使相似的环境有了不同的意义。

Strichpunkt：德国斯图加特

Layout 版式

上图展开的页面中，字体与图像一起表达了一种情感内容，没有一种元素过于突出，或彼此冲突或对立。图像是有动感的，裁剪得正好将观众的注意力吸引到人物的表情上。字体是古典风格的，两个大字标题文字在大小上的差别产生了一种大胆而现代的感觉。

Kuhlmann Leavitt, Inc.:
美国明尼苏达州

当所有的设计元素之间一旦建立起清晰的关系，各式各样的设计方案就会蜂拥而至。首先，在观众接触到设计作品的一瞬间，版式中的各种均衡效果，就应当马上激发他们相应的情感反应：亲切可人的，兴高采烈的，或强烈抵触的。内容的组织不仅应该与版式相呼应，也要符合传达信息的需求。图像与字体风格的选择应相互照应，互相烘托气氛，强化概念。字体与图像的编排还应在视觉上彼此呼应，而且它们在版式空间里的组合，要针对较为清晰的图像、文字内容，再次强化它们的感情色彩或关联性。

此外，内容的连续与间隔，应起到强调内容的作用，并且能产生形形色色的视觉效果，变化一张一弛，不断给观众一种新鲜感。对字体编排与抽象形式的细节应进行缜密思考，要适用于大尺寸构图元素或者空间关系。最后，对于承载作品的媒介，无论是电子产品还是印刷装订产品，都应考虑它物理的、有形的特性。当设计师一旦考虑了这些方方面面，设计的结果就会是设计经验的强大集合体：既能使人产生共鸣，又充满情感因素；既实用，又能令人愉快，从而令人难以忘怀。

组织的策略：结构与直觉 设计师需要着力弄清楚的是：在什么地方放置什么东西，以什么顺序，构图的角度又应如何安排。客户可能会以一种特殊的顺序提供某些内容，设计师应该理解这些内容。而且，为了使内容更加清晰，概念更加突出，在必要时要重新安排内容。组织内容的方法包括将材料按种类排列，以彼此相互关联：按局部到整体排序、按分类排序、按频率排序、按复杂性排序、按年代顺序排序，以及按关联性排序，等等。由于约定俗成的原因，有些策略往往迎合观众的期望值，主要适用于某种特殊的出版物。例如，报纸是根据当地信息的重要程度，采用从局部到整体的组织策略；包装设计则是按照复杂性来区分信息的。

网格系统 图片、文字所占的区域，标题，表格数据，所有这些元素都要组合起来，用一种叫做网格的系统很容易就实现以上目标。一个网格由一组线条明确的队列关系组成，它作为整个版面的参考线，用于安排各种各样的版面元素。无论网格多么复杂，每个网格都包括一些相同的基本部分。这些部分都可根据需要进行组合，或者根据设计师自己的意愿在整体结构中进行删除。组成部分的比例大小，也同样取决于设计师的需求。

网格既可以是松散随意的有机联系，也可以是机械呆板的严谨精确。运用网格进行设计，其好处很简单：清晰明了、快捷高效、干净利索、连贯流畅。在开始其他设计步骤之前，网格可为版面设计提供比较系统的编排顺序，以便于区分不同类型的信息，让用户更便捷地搜索到需要的信息。与其他方法相比，网格可以解决复杂的表达问题。

将内容排序可以帮助观众理解内容，也可在部分与部分间，或页与页之间产生节奏感和意想不到的效果。这里有几种组织内容的方法：按类别，强调意义间的不同；按特征，从一般到特殊；按复杂性，从最简单到最复杂；按相关性，根据每一成分的重要性。

为出版物构建合适的网格，涉及如何评价信息内容的形式与容量，而不能随心所欲地安排网格的空间。无论是文字还是图片，信息内容的形式至关重要，它的长宽比例是确定网格空间的来源。如果把文字当成必不可少的大块建筑材料来看，设计师必须要在文字设计中注意保持变化。

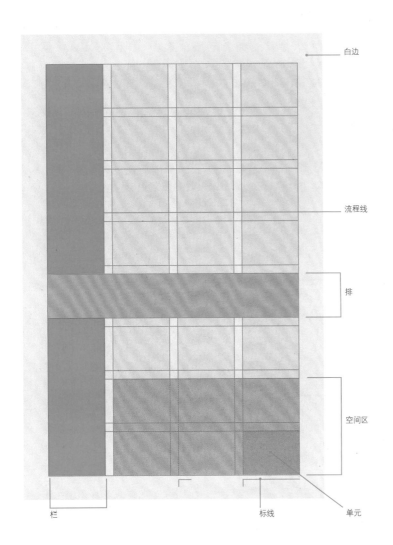

白边

流程线

排

空间区

栏

标线

单元

所有的网格都是由栏组成的，包括内容、四周的白边和可将栏从页边缘分开的开放区域。按照网格组织内容的复杂性，网格可能会有任意的栏数。以规律的水平线来划分网格，叫做"单元网格"。

运用网格进行设计，其好处很简单：清晰明了、快捷高效、干净利索、连贯流畅。右图显示的是两组出版物网格的图表，各自重叠，说明运用网格的统一性、灵活性，还能将文字与图片统一起来。

Gollings Pidgeon：澳大利亚阿德莱德

Hesse Design：德国杜塞尔多夫

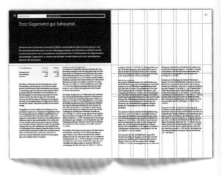

在出版物的编排中，大量的文字是至关重要的考虑因素。在指定的大小和版面上，文字编排的合理设置能够确定栏宽。在此基础上，设计师就可以在单个页面上尝试并排多少个栏，调整文字的字号、字宽、栏距，形成初步的结构，以保证通篇文字的编排效果。

而把图片作为网格空间的素材来源，这是另外一种选择。如果出版物是以图像内容为主导，这种方法可能更为适用。倘若知道图像的长宽比例，就能确定栏和单元的大小。以图像的常见宽度与高度及对齐形式为出发点，设计师就可以设想图像在方块版式、垂直版式或者水平版式中的变化情况。接下来，设计师就要决定，如何根据图像的大小关系来进行排版：图像是按彼此之间的大小关系来编排，还是以任意的大小来排列？如果所有的图像都固定在指定的流程线上，由于图像的高度各不相同，设计师就需要进行缩小或者拉大处理，以便于图像下面的文字或者其他元素能跟得上图像的调整。根据主要的空间分割和所能掌控的编排逻辑关系，设计师就要给图像和它周围的文字构建一系列的间隔空间。

文字栏与负空间之间的相互影响，是需要利用网格表达清楚的至关重要的一个方面。文字栏上方的空间与下方的空间，在形成栏的节律中扮演着活跃的角色。设计师的有效选择虽然无穷无尽，但是仍可以归纳为三种主要的类型：从页面的顶部到底部进行排列的文字栏；垂直排列的文字栏，顶部或者底部对齐，另一端则不对齐；顶部和底部都不对齐的文字栏。

除非设计师能够超越由网格结构所带来

的统一性，否则网格还算是成功的。使用网格最大的危险，是受束缚于网格的条条框框。请记住，网格是看不见的参考线，存在于版面最底一层。内容都是编排在版面之上的。网格不是制造单调乏味的版面设计的罪魁祸首，但设计师却是。打破网格的局限，是设计必不可少的方法。有时候，是由于条件所限而需要打破网格局限。例如，信息内容必须编排在并不十分合适的特殊跨页版面中；有时候，则是为从视觉上需要突出某些信息内容的特征，或者为读者制造某些惊奇的亮点。取得版面变化的一个简单技巧，是在一个跨页版面上将图像集中在顶部，接着，在随后的版面把图像集中在底部。有时候，将不同大小的图像都挤进一个跨页版面，在紧接着的跨页版面上不同的位置，再排上相同大小的图像，就可以马上得到在网格上产生运动的效果。

直觉的逻辑　有的时候，设计内容本身就存在着内部结构，这种结构是网格所

无法理清的；有的时候，设计内容需要完全放弃结构，以便于在潜在观众中营造某种特殊类型的情绪反应；有的时候，设计师仅仅需要把观众自身比较复杂的智力投入，构思成为设计作品的一部分，让观众在设计作品中自己进行体验。第一种方法，是将传统的网格进行分解，甚至分解成为非常简单的网格。设计师可以将主要区域"裁切"为数块，然后进行水平移动或者垂直移动。也许会找到一种全新的文字联系方式，可以将不同类型的信息一起编排。传统的网格结构在不同的方向上都是反复出现的，借助不同的参考轴线，可用于尝试更加具有动感的建筑空间效果。

还有一种有趣的构图方法，是从设计内容的意义中获取视觉理念，并把意义安排到版面设计，作为一种随意的结构。这种结构可以是主题的幻觉表现，如波浪或水面，也可以是一种理念，如童年时的记忆、一个历史事件、示意图，等等。

只要页面的构图能够吸引读者，文与图相互联系，就可以不受网格的约束。在上图例中，图片非常漂亮地横跨页面，文字和谐地围绕在周围，十分贴切地表达了内容本身。

Ah-Reum Han：美国纽约视觉艺术学校

无论是什么理论来源，设计者都能组织合适的设计素材。例如，文字和图像可以像洪水中的物体，沉入水底或飘浮在水面上。

文与图的视觉关系　对许多设计师来说，使字体与图像互相产生影响，却带来了严重的问题。文字与图像之间的糟糕组合，会使设计师陷入两种困境：第一种是字体与它周围的图像没有共同语言，或者根本就是从图像区域剥离开来；第二种困境，字体设计在组合中太过抢眼，反而成为不合理的块面与肌理。图像由明暗关系、线条运动、线条粗细、轮廓线、开放空间、闭合空间等元素构图，这些元素以某种特殊的方式进行编排。字体具有同样的特征，也包含有明暗关系、线条造型、体积造型、轮廓线、开放空间、闭合空间与节律。

字体元素与图片元素的相似性，使两者之间联系非常密切。每幅图像都表现出人物与背景之间、明暗之间的清晰关系，表现出图像中的运动状态。当字体编排的造型特征与相邻的图像相类似的时候，或者图像是在字体编排特征的基础上发展而来的时候，字体与图像就被称为造型的协调。

两种素材之间形成造型的对比，虽然表面上看上去是反直觉的，但是这种对比实际上有助于理清它们各自的特征。借助对不同之处的鲜明对比，两个相反的视觉元素都会得到更好的识别和认知。需要解释的是，在造型的对比中也需要有元素之间的某些协调，这是为了更清晰地界定那些对立的特征。

Lorem ipsum dolor sit amet consectitur adispcing elit in nusam erat summa est, nunc et semper. Quam gloriosa duis autem velure quae coelis erat.

在上图的设计中，文字与照片的视觉语言相互呼应：结构、节奏性的运动和色调的明暗，所以文字与照片彼此依存，成为同等重要的元素。

上图简单设计的海报系列，表现了在统一的但却灵活的视觉语言方面的多种可能性。在每一组图例中，都运用视觉语言的一个方面来产生变化，而不涉及其他方面。第一组图，利用比例的变化来表现灵活性的改变；第二组，有机形式的形状变了，但其基本的内容保持不变；第三组，元素位置的改变是唯一的变化。

STIM：美国纽约

倘若所有的元素都完全不相同，层次关系就会崩溃。与此相同，如果所有相反的造型特征都彻底不相同，造型对比的对立力量就会受到削弱。不仅需要认真考虑字体与图像之间的相对位置，还要考虑图像的外形与版式两者的特征。一幅裁剪为长方形的图像，与字体的关系会有三种可能：字体完全处于图像之中；字体在图像之外或者与图像相连；字体横穿图像，将周围的空间与图像连接起来。

作为系统的设计　大多数设计作品，包括印刷品、互动设计作品、环艺设计作品，实际上都是系统设计。有许多页码的出版物或网页、办公标志、广告宣传、宣传册，等等，都存在着从部分到整体，以及如何把它们组合起来的问题。正因为如此，设计师如何理解设计作品的视觉语言就显得非常重要。系统设计，不仅确保用户或者观众从一个空间转换到另一个空间能保持体验的一致性，而且还有助于指导他们浏览不同层面的信息，不管发生什么变化，信息在视觉表现上都能体现出灵活性。作为系统工程的设计，既能够掌控系统内的各种变动，也可以防止观众的体验过于单调。

连贯性和协调性　在以建立系统为目标的作品中，重复的、可识别的视觉特征，与生动活泼的、出乎意料的、巧妙的，甚至是打破常规的处理办法，在两者之间建立张力，这是一项非常艰巨的任务。视觉的连贯性，是设计师凭借不断地改变设计的视觉语言，努力让观众持续保持新鲜感，形成统一的、可记忆的体验。设计师要防止两个极端：一是冒险打破视觉的统一性，二是处理素材时又过于统一，反而扼杀了设计方案的活力。在某些例子里，将所有的元素都限定在一个压抑的模式里，缺乏灵活变动的机会，既降低了理念的明晰性，又减弱了信息关系的清晰程度。这对于素材组织而言也是帮倒忙的事情。

在任何的设计方案中，都有两种基本的可变因素。设计师可以对可变因素进行研究，寻找多种设计策略，让作品既保持连贯统一，又体现灵活变化。第一个可变因素，是必须按照素材表现的方式进行处理，亦即按照素材所表现的造型与色彩进行变化。在特定的设计方案当中，设计师可以构思一系列的可能方案，既包括利用色彩组合来改变素材的表现形式，也包括选取图像类型来启发多种设计方案。第二个可变因素是节奏，亦即在某些模式中改变不同页面元素的频率，以便于图像与造型的类型、图像的数量、色彩组合所产生的特殊色彩的数量，三者都能保持不断的变化。

节奏可以理解为一种视觉节律，或者称为"动作时机"。读者几乎像是在看电影那样"逐帧"领会其中的内容。"逐帧"领会，如果在网页，是从主页到子页；倘若在杂志，则是数个跨页版面之间的顺序；而假设在文献系统，又是逐篇浏览论文，等等。从慢到快，或者从静到动，进行节律调整，设计师就可以实现多个目标。这样做，结果之一完全是视觉的效果：每翻开一个页码，都可以用不同的表现方式吸引读者。另一个结果，则是提示读者有重要的内容改变，信息的功能在节奏的影响下变得明确清晰。例如，杂志往往划分为多个部分。每一期刊物中，都安排有一系列页码的"专栏"，这些页码以同样的次序反复出现。每期刊物都有不同的地方，就是特写故事的序列。况且，在刊物的每个部分，设计师也设法安排视觉变化，让读者在认可延续结构的同时，不会心生厌烦。

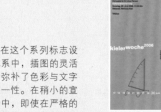

在这个系列标志设计体系中，插图的灵活结合弥补了色彩与文字的统一性。在稍小的宣传册中，即使在严格的栏目结构中，色彩的改变和信息量的自然改变都产生了变化。

Hesse Design：德国杜塞尔多夫

从理论到实践
设计实例学习

THEO

PRAC

Projec

Y INTO
TICE

如何使用本书

本章节每一个设计案例都有独特的设计程序，无论是什么设计实例，都是从始至终。在以下部分中，我们跟随着这40个不同实例的进展，包括每一个步骤说明，从最初的草图到完稿后图片的设计，以及发人深省的话语和包含丰富信息的说明，都表现了设计团队如何一起工作，每一个设计阶段中的特性如何支持整体的沟通目标。实例分析是通过设计项目的最终产品而实现的。

Case Studies

01

直上月球
Straight to
the Moon

电视机产品市场已经饱和了，因此，要想得到广告代理公司的注意确实需要一些技巧。位于田纳西州孟菲斯的"月球产品"就需要一个大胆的标志来引起关注。这个标志能够别出心裁地强调他们在有价值的商业服务方面的潜力，即生产灵敏的、人性化的商用录像机的能力。公司求助于Tactical Magic 这个战略标志设计有限责任公司承担这项设计，以使他们从其他竞争者中脱颖而出。在简洁、幽默和在概念的思考上设计的标志要显示出丰富的视觉效果。"这个项目所面临的挑战，是使'月球产品'具有一流的商业特色，如创造性、机敏性和人性化。" Tactical Magic的一个合伙人Ben Johnson说。Tactical Magic公司成为"月球"标志的开创者。

所有设计师的创意——好的和不好的——都展示在"作战室"的墙上。将这些创意放在一起作比较，能使那些较好的创意更快地表现出来。对客户和设计师们有吸引力的创意用即时贴作了标记。

我们专门成立了一个"作战室"，将我们的战略、读者定位、竞争对手、标准、参考资料以及几乎所有的创意都贴在墙上。客户很早就进入到这一程序。他们看到了"作战室"，看到我们的战略转化为创意——好的和不好的——并且跟我们一起寻找创意并缩小范围。

Ben Johnson，合伙人

"广告代理公司想看到的是有创造性、幽默感和绝妙技巧的广告。"Johnson说。对他和他的合伙人来说，这个过程是从一个好的战略开始的，这个战略表达了客户的要求，并直接进入到设计过程中，即开始画草图。设计师们一起构思草图，把它贴满了"作战室"的墙壁——其中可能就有最终的方案。

当设计师们将最初的创意范畴缩小到更为精细的设计时，Tactical Magic公司就请客户参与这个较早的创意阶段。"客户们看到了'作战室'，看到我们的战略转化为创意——

好的和不好的——并且跟我们一起寻找创意并缩小范围。"Johnson说。在这个历时几天的过程里，客户和设计师们不断地到这个"创意墙"前，用即时贴把他们喜欢和不喜欢的创意标出来。设计师帮助引导客户在理解一个好的标志是如何产生的基础上，从概念性和有效性两个方面来进行评价。"标志应该简单到能用第三代传真机设计出来，"Johnson说，"所以我们很少选择用照片。"

第一轮的创意产生了一系列方法——从严格的字体设计到说明性文字——但是都集中

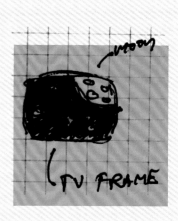

第一轮草图所产生的创意是严格的字体及那些具体的符号和插图。将符号性的材料结合起来，如幻灯片与领带和衣领，能迅速传达复杂的概念和最少量的信息。

文字利用自身的结构很容易就转化成图片。上图中，字母最基本的笔画——所有有角的形式——都被"新月形"所代替，能让人想起月亮的形状。

将首字母"L"用新月形替代，能产生一个醒目的图形。但这个字母的形状与其他字母的关系，以及它弯曲的形状，会把它跟其他字母断开，并且影响了阅读的清晰性。

在将标志与客户的名字联系起来。客户与设计师希望有一个直白的但能传达大的概念的创意。

例如，插图中运用的新月形很直接、很明白，但缺乏深度或客户所要求的幽默。

相反的，太复杂的、有叙事性的创意——如本页有一个前苏联宇航员，指导早期的太空活动——又显得太轻佻了，或者需要读者具有丰富的知识才能理解。"做出决定是需要勇气的，因为这是顾客对这件作品的反应。但是选择一个创意就意味着否定其他二十几个，"Johnson解释道，"这是一项艰巨的任务。"

最后，候选方案缩小到三个，包括最终选定的标志——登月仪与电视机的结合物。选择的标准是客户本身的商业活动，同时讲述了大众文化与历史的故事。登月仪与电视机都是标志性的符号，有相似的形状，二者结合能产生有意义的图形来。

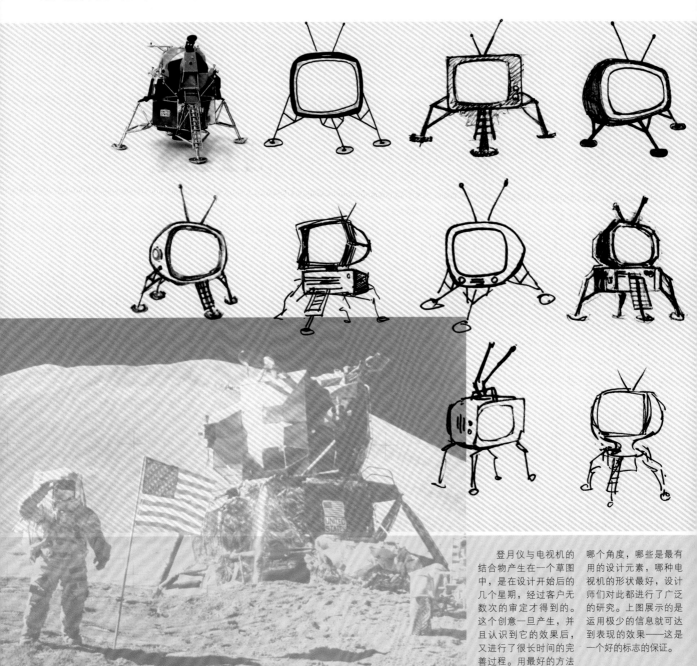

登月仪与电视机的结合物产生在一个草图中，是在设计开始后的几个星期，经过客户无数次的审定才得到的。这个创意一旦产生，并且认识到它的效果后，又进行了很长时间的完善过程。用最好的方法来表现这个形状——从哪个角度，哪些是最有用的设计元素，哪种电视机的形状最好，设计师们对此都进行了广泛的研究。上图展示的是运用极少的信息就可达到表现的效果——这是一个好的标志的保证。

"我们最终决定运用老式的电视机和老的月球探测飞船来设计图片。我们观看了老Jetsons的卡通片，为这个月球探测飞船和电视机的转化物赋予了个性。"Johnson记录道。沿着这个方向，设计师们注意到从月球探测飞船的图片上可以看出电视机的形状来。

在尝试表现月球探测飞船更复杂的细节后，他们决定在底部加一个简单的火箭发射架。他们尝试了各种角度和三维图，45度角能使这张混合图更完美地呈现出来。为简化图形，电视机的第四只腿被省略掉了。

> 我们尽力优先考虑到客户的具体情况，让最终的战略指导设计技巧。

Ben Johnson，合伙人

在较早阶段，电视机的后部就被设计成弧状，"老式"机器让人联想到20世纪50年代和60年代的流行文化，其中包括天线——现在已经是过时的技术。设计师们感觉到登陆仪没有充分表现出来。他们在电视机下面加上火箭发射架的轮廓，而不用复杂的图形表现技术细节。在用Illustrator扫描和制作这个简单的手绘图时，设计师在比例和轮廓方面做了改动。

LUNAR
P R O D U C T I O N S

LUNAR PRODUCTIONS

LUNAR PRODUCTIONS

STANLEY L. WENDER
SENIOR CONSULTANT

001 722-8571 | 901 276-2407 F
SWENDER@LUNARPRODUCTIONS.COM

1575 MADISON AVENUE
MEMPHIS, TN 38104

LUNAR
PRODUCTIONS

MARK D. WENDER
PRESIDENT

1575 MADISON AVENUE
MEMPHIS, TN 38104
901 722-8571
901 276-2407 F
LUNARPRODUCTIONS.COM

辅助性的标志是灯芯字体（sans serif）的变体，在20世纪20年代和30年代很流行。压缩的比例与标志符号形成对比。

上图这张信纸的重点在标志上。信头上醒目的空白将信笺上部与主要部分区别开来，并使整个页面更为生动。所有文具用品的形状都与标志的形状相呼应，采用圆角，这个简单的细节有助于强化标志。

一旦标志本身被完善后，设计团队就将注意力转向其他较次要的元素，像色彩和文字。Johnson回忆道："在这个案例中，客户特别关注标志的幽默性和文字的传统性之间的平衡。" Johnson和他的团队尝试着用传统的字体与20世纪20年代和30年代——好莱坞的黄金时代——产生联系。"我们修饰了一些

现代的字体以产生艺术感，并设计了一些变体与标志相适应。"他接着说。色彩被减到最少，标志用黑色以求醒目，蓝色增加深度，并表达空间感。标志被极大地突出了。

"在这个设计中，标志成为主角，所有其他的元素都是次要的——在名片上，公司名出现在后面，使前面的标志更有趣。"

设计师们开玩笑地在客户办公室门上贴上洗手间的标志——把原来的标志巧妙地改成了熟悉的图标。

这个设计有极强的个性，令人忍俊不禁。在市场竞争中非常醒目，为客户的产品推广起到了十分重要的作用。

Trace Hallowell，合伙人

简单点，把车留在家里

Easy Does It: Leave the Car at Home

奥地利最西部福拉尔贝格州的公共交通网络被各种市政代理和运输协会（Verkehrsverbund Vorarlberg）(VVV)所控制，由各类管理机构进行协调。这种复杂的管理体系，多层的官僚系统，连同公共交通的迫切需要一起，也时常伴随着极短的生产时间和极少的预算，驱动了公共汽车。也可以说，这也促成了设计师 Sigi Ramoser 和 Hermann Brändle 的设计。他们的方法满足了这些需要，完全从直觉的角度进行了快速而简单的表现。活泼、生动的文字安排，色彩鲜艳的插图，都表达了乘坐公共汽车和火车的乐趣和益处。

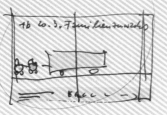

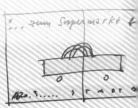

迅速用铅笔和电脑勾画草图，并配以文字，设计师就开始了广告招贴及其他作品的设计过程。他们很快尝试了多种可能性，但都没有经过认真分析。利用直觉进行设计可以确保图版新鲜而轻松，而且很容易理解。

设计选定了Helvetica——一种粗灯芯字体（sans serif），具有笔画粗细统一、风格稳重的特性。这也是客户公司标志的主导字体。正是这种字体的稳重性产生了一种吸引力。而它缺乏细节的特性却使它具有清晰的易读性，轻松使用，简便易读。

Ramoser说："确定主基调以后，我们就收集了很多交通广告的例子，我们注意到这些广告主要集中在技术和价格上，而忽视了使用公共交通的好处或体验。"

客户的交通部门提出了被设计师形容为"固执的、必须的"意见，这些意见特别在意预算和时间，而对交通看上去或感觉上的效果关注不多。Ramoser和Brändle决定反其道而行之。Ramoser认为，客户觉得好的设计是"快乐拥有"，而不是必需品，这一点成为他们的目标："'快乐拥有'是绝对必要的！"

Sagenvier努力重新记录下来，交通应该是鲜明、诙谐而轻松的。"我们是遵循着一个潜在的日程，"Ramoser说，"避免只有单纯的信息，而要突出情感因素。"同时，他们也在集中精力寻求一种表明创意的方法，能够把广告区别开，并使由不同的广告公司设计而产生的不同的风格统一起来。Ramoser说："我们正在寻找简单的视觉元素，能够把所有的目标都表达出来。"

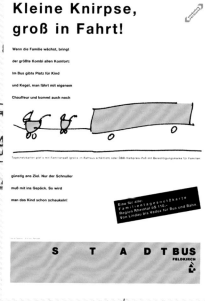

第一系列的招贴画是手绘插图。对文字和奇异的构图起补充作用的线型特点，与Helvetica字体的统一性形成和谐的对比。

这样做的结果产生了被Ramoser称为"会说话的插图",也就是讲述了一个故事的插图。在为客户设计海报的第一个阶段里,这些图都是快速手绘的,和一些粗体的、直白的字体相结合。这些字体大部分是Helvetica字体,它属于在20世纪50年代普遍使用的灯芯字体,由Max Miedinger和Edouard Hoffmann发明。

这种字体选自VVV所属公司的手册。它适用于直接做广告,也能够与怪异的插图形成对比。这些插图包括粗略的剪纸和强对比的影印图片。

设计师所使用的视觉语言:简单的图片、机智的文字、生动的色彩,在社区内大受欢迎,并产生了强烈效果。他们大胆的设计与其他广告相比,更容易被接受和记住;其人性化的特点与公众产生了共鸣,从而使传统的媒体超越了自动化的工业广告。Ramoser和Brändle还在寻找更普通的传播方式,他们又发现了象形图——在20世纪70年代为机场标志、公司标志及奥林匹克活动所广为使用。Ramoser说:"这些小的标志可以简化复杂的信息,补充文字的不足。"这些象形图形适用范围很广,能够很快改变或组合成新的图像,从而适应紧张的设计日程。

每一个项目的完成过程都很快,按照Ramoser所说,就是"摘、头脑风暴、创意、草图、表现、完善"。完善过程占了整个时间的30%,根据项目难易程度,从一天到几周不等。

在随后的海报设计中,图片风格扩展到图标轮廓和强对比的影印图片,甚至加上了肌理细节,像鱼尾的纹路一样。外部形状保持了其动感、简洁的形态。

运用象形图的创意产生于设计下一系列广告的过程中。这种象形图是以图标为基础的图形,减少了纯粹的几何特性而强化了认同感。象形图简单的结构超越了线条和插画,也意味着它能够迅速被创作或改变。由于它们半抽象的特性,设计师不必完全遵循现实经验。设计创意可以是非常特殊的、有点符号性的,需要的话甚至是超现实的。

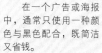

选择明亮的主色调和次要色调能够在杂乱的环境中突出广告和图片。这些颜色都有共同的明度。接近60%的黑度，使黑色图标和文字更柔和。

在一个广告或海报中，通常只使用一种颜色与黑色配合，既简洁又省钱。

对系列海报来说，图标的处理较为复杂。除了加上细节外，设计师还常常扭转图形、整合照片效果，比如使它变得模糊或变浅。

图片和文字的安排不借助任何网格或规整的结构。设计师们组合材料，在正与反、线与形、深与浅之间寻求动感。

相近互补的色彩关系，像蓝绿色与黄色混合，通常是非常刺眼的。通过使两种色彩的明度相近，减少互补颜色的纯度，设计师在增加混合色的深度时，保持了强烈的色彩对比。注意

到色温对空间感的作用：冷色调的蓝绿色好像后退，产生一种深邃的空间感，而暖色调的黄色突出到招贴的前面来。明度和色温上的改变与图标的平面性相对比。

大小的改变、有节奏的前后往复的安排，柔和的一组图形与线的运动感的对比，都表现出各种公共交通形式的人性化和有益性。

把图标用到网站上是一个非常自然的过程；矢量图显示很快，在屏幕上得到很好的再现。图片的简洁性与页面版式上严格的网格结构相呼应。与印刷产品不同，网络需要有严格的结构。前一个页面把图片与导航区区别开，下一个页面又在图片范围内与导航链接合并。结果是图片可能较大，而且这两个区域在视觉上形成了统一。网站采用分层的网格，把主要内容区域划分成不同的部分，从而使用户更容易区别它们各自的功能。主要内容位于左边较宽的栏框里，而次要的功能部分则在右边较窄的栏框里。

黄色插图编号的色彩纯度在整体暗色调的页面中形成焦点。把它放在右栏最上面可强化页面的功能。明度用来在目录中形成层次，较亮的部分比较暗的部分更为突出。

03

有效的导航系统
Well-Developed Navigation

Marc Montplaisir是加拿大蒙特利尔地区有名的摄影家，他在企业、广告、时装、肖像摄影，以及个人在艺术上的努力颇具盛名。他请Orangetango为他设计个人网页，用来展示他的作品和才华——这个网页也要表现出这位专业摄影师是看重自己的作品，而不是看重自己本身。摄影作品网站的访问者要从一开始就很容易认出网站。这些访问者包括代理公司有创意的负责人以及其他可能需要他设计的人。这位特殊的客户职业与艺术相关，他熟悉网络和网络的功能，除了缺乏更好的表达方式外，也看过很多类似的网站。这些网站也是专业人士的。这些访问者都不想把时间花在无目的地浏览网页上。

设计师们一旦注意到客户的名字"M2"与涂鸦字母在外形上的相似性后，很快地就把它从简单的、清晰的印刷字体发展成照片形式。运用照片进行设计可与客户的业务发生直接的联系，但游戏的部分则更具概念性。

设计师边听特别有创意感的音乐，边快速画草图，一点点地产生背景创意，从而把客户的照片组合起来。一些草图也运用了像设计好的"标志"一样的游戏创意，但似乎从背景中脱离出来。背景包含了与Montplaisir摄影作品的各个领域相关的东西。

虽然客户主要是通过突出他的作品来推销自己的业务，但这个网站"应该在帮助访问者更多地了解Marc的个性方面起主要作用"。这个项目的创意总监Mario Mercier说。与现在时尚的高科技设计风格相反，他一开始就认为网站应该用朴素的色彩和简朴的图片，作为Montplaisir作品的背景。除此之外，网页还应结构清晰。用有趣的环境和变化来表现客户的个性，而不是与之冲突，成为设计的难点。

令人奇怪的是，音乐成为网站设计师灵感的源泉。设计师用引起了他们的共鸣的歌曲表达了过去的岁月——快乐而怀旧。Mercier的同事和兄弟，Jean-Marc，特意为这个项目创作了歌曲作为网站的开始。这些歌曲有些像一般的背景音乐，隐隐有着异国情调。当音乐初具雏形时，在Montplaisir的热情鼓励下，设计师们在头脑里开始为这些音乐描摹草图，也为网站设计其他板块，像时尚、评论，或肖像板块。第一系列的草图将背景处理得很有照片感，柔和的色彩和模糊的细节却使背景具有梦幻感。

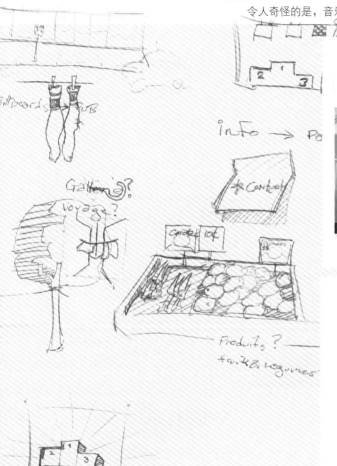

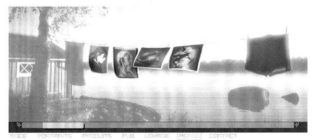

早期的数码设计是把软聚焦的照片作为背景，以便表现音乐梦幻般的感觉。挂在晾衣绳上的彩色图片作为导航键，引导用户到每个图片展示区。由于背景和导航键都是照片形式的，它们看上去有点混在一起。

在另一个替代方案里，设计师首先用减小饱和度的方法去掉背景图片的颜色，以便看上去不那么深或不那么浅，这样整个色彩感觉几乎是完全灰色调的。这样，区别似乎还是不够充分，而且环境要么是太平淡了，要么是与主题区的关系不够密切。

Montplaisir的摄影作品以极小的图片
形式设计成背景一部分，作为作品展示区的
导航栏。时尚板块这么设计：一个时装模特
旁，照片用架子悬挂起来。旅行照片挂在晾
衣绳上，看上去好像挂在地中海的某个小巷
里。广告照片表现在像《时代》杂志一样的
栏框里。肖像画部分挂成一串，两边看上去
有罗丹和贾科梅蒂的雕塑作品。

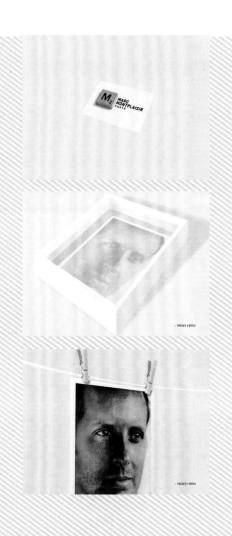

网页从一小段连续
的动画开始，表现的是
显像纸上的潜影在暗室
里的托盘中显影出来。

在单个的图片展示
区里，用户可以按图片
下方的数字搜寻到许多
照片；然后按一个简单
的"关闭"按键就可回
到原来的页面。

然而，当设计师们回顾这些初始的网页时，感觉虽然创意不错，但背景与客户的作品间的视觉冲突过于明显。因为都是摄影作品，在肌理细节和风格上太过相似而难以区分。为解决这个问题，Mercier的团队尝试着降低背景色彩的纯度。但最终选择把矢量区域补偿为暖色的暗米黄色和灰色。

Mercier解释说："这些图片的颜色非常轻淡精致，只作为网页最重要部分的一个模糊的背景：活动的窗口导出摄影师的作品，从背景中逐渐跳出来。"这个简单的解决办法也同样用在处理辅助的文字导航栏上。尽管尝试了多种更传统的字体，设计师还是选择了位图字体（bitmap face）来清楚地展现页面，时尚，却平和、有个性。

从应用区开始，导航图片就与背景、从平面上产生的三维、矢量图清晰地区分开来。对空间、范围、节奏变化的关注，在非常平面的图片上创设出一种超现实主义的空间。

水平横穿整个屏幕的一串文字形式，采用柔和的蓝色位图字体（bitmap face），列在主要的导航区域。红色明确地表现出鼠标和选择栏。在屏幕上，位图字体（bitmap face）远比传统字体清晰，并与矢量图互为补充。

04

在进行三维设计时，设计对象的所有视觉元素都要按实际的空间组合，主次关系和顺序是极为重要的。在商业展览上更是如此，拥挤的人群、参展商、产品和各种各样的色彩都吸引着人们的眼球，正像在这个案例中，设计师为Formica公司设计的热情好客的展台。这个项目所面临的挑战是要设计这样一个空间：在忙乱的展厅内，或远或近的路过者都能被它吸引，从而关注Formica公司生产的用途广泛的商住两用涂料产品。"设计行业的人都想看到一个有强烈设计感的空间。"设计工作室的负责人Deanna Kuhlmann-Leavitt说。

打造中心展区

Building Block as a Centerpiece

> 在商业展台设计领域，预算总是最大的困难。人工和其他服务费非常昂贵。我们有意识地寻找一些轻型的、容易搭建的材料，同样产生了特殊的效果。

Deanna Kuhlmann-Leavitt，负责人

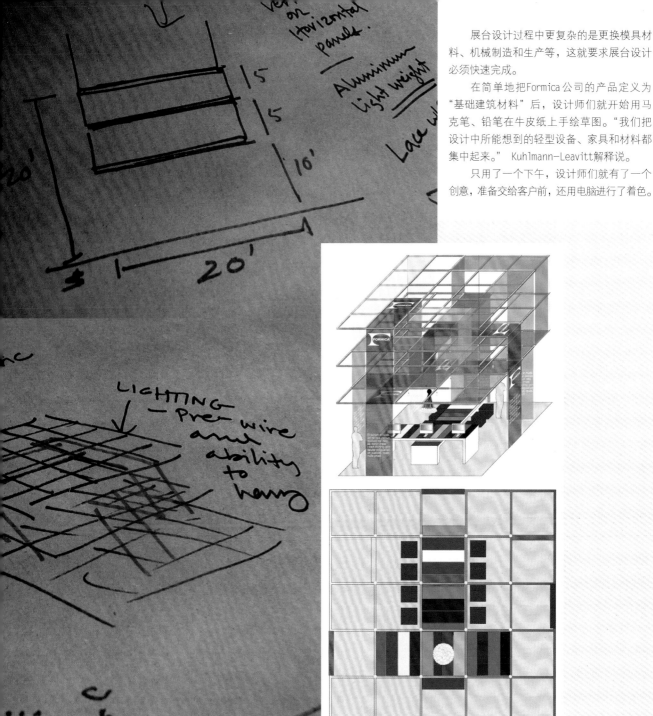

展台设计过程中更复杂的是更换模具材料、机械制造和生产等，这就要求展台设计必须快速完成。

在简单地把Formica公司的产品定义为"基础建筑材料"后，设计师们就开始用马克笔、铅笔在牛皮纸上手绘草图。"我们把设计中所能想到的轻型设备、家具和材料都集中起来。" Kuhlmann-Leavitt解释说。

只用了一个下午，设计师们就有了一个创意，准备交给客户前，还用电脑进行了着色。

两个设计者，只以牛皮纸、马克笔和一堆家具参考资料，在四个小时内就画出了一个有强烈视觉效果的草图。

在这些设计图中，文字说明和尺寸展现了这个基本的创意：一个巨大的、开放式的立体工作间。正方体的创意源自客户希望表达的一个前提：他们的产品正是室内设计师们的建筑材料。

一旦确定了基本的创意，设计师们就用绘图软件将草图用电脑着色，并加上人物来说明空间的大小。在这个最初的设计中，正方体是一个轻型的骨架，上面覆盖和悬挂着各色横幅和条幅，印着客户的商标和广告词。地面摆放着一张长桌，准备用来展示客户的产品，还有宣传材料和显示器，以便上网或查寻销售数据。

暗色的织毯能够将来访者的注意力吸引到鲜艳的色彩展示区，而横幅及条幅上所用的互补色提升了空间的视觉活动感。

对Kuhlmann-Leavitt来说，费用是展台设计的重要因素。"在商业展台设计领域，预算总是最大的困难。我们有意识地找一些轻型的、容易搭建的材料，同样产生了特殊的效果。"

对这个项目来说，解决方案非常大胆而且简单：主要是在轻型悬空架构下摆一张大的展示桌，形成一个非同寻常的中心区。在铝质管材上包裹预先印好的条幅。整个结构呈立体状，通透的正方形展区从底部飞升，吸引着拥挤的展厅内的注意力。正方形可以灵活地分成各种空间，并且抽象地强化了"建筑材料"这个前提。

"在商业展台设计中，我们'建造'了一个3D透视图，"负责人Deanna Kuhlmann-Leavitt在描述她的设计思路时这样说，"用另一句话说，我们把主要的元素按顺序叠加起来，以便让客户理解。这是一种'加法'风格的表现。"

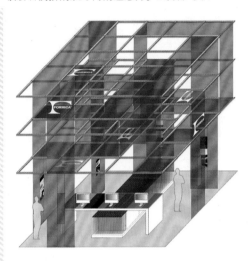

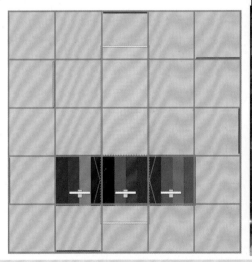

在修改过的平面图中，条幅的颜色简化为只用红色。由于没有了色相上的对比，显得减弱了空间感而变得更为简洁。

客户标志上精细的图案为整个条幅增添了深度和空间感。表面隐约的活动感与材料的半透明性相冲突。背景与图案近似的明度和密度防止色彩效果过于刺眼。

设计师们的创意得到肯定后，他们还得整合客户的一些要求，确定整个骨架的具体规格，将展区设计与材料相协调。首先，客户要求条幅上增加一些照片，并采用醒目的色彩和文字。"Formica公司想按真实尺寸，看到实际场地的设计，这是他们的要求，或者说是他们对我们设计的检验。" Kuhlmann-Leavitt说。

工作室采用客户为各种用途而拍摄的照片，包括在商业展览上拍摄的，并印在条幅上。因为条幅是用丝网状材料做的，因此图案在不同的角度看上去是透明的，叠加在实心的标牌和铝质结构上，极大地强化了立体感。

客户还建议把一张桌子分成三个部分，用来展示产品。后来的设计改变成，还是一张桌子，但其中一部分抬起来像一个吧台。这种改动可以减少展示区的人流量，并且保留了大的、单独的展示平面。"我们把三次改动都呈交给客户，逐渐被他们接受了。" Kuhlmann-Leavitt说。

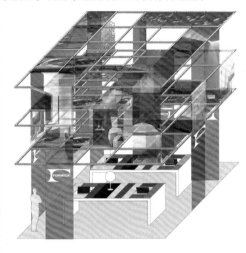

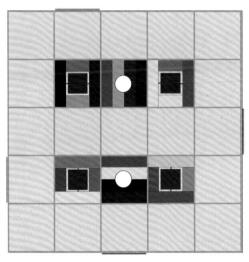

第二次修改把一张桌子分开成两组，并在悬挂的条幅上印上照片。这样图片就产生一种比原有色彩和文字更强烈的空间体验；它们的柔和性与结构的几何性、色彩的平面性产生了对比。

经验促使我们运用相似的途径，但创新又需要我们为不同的客户考虑，总是有所改进和发现。设计就是一个善于发掘和有所计划的过程。

Deanna Kuhlmann-Leavitt,负责人

尽管创意的过程非常短，但Kuhlmann-Leavitt花了近两个月的时间来细化整个结构，修改材料和版式。这主要是因为现场装备要非常迅速。设计师花了很长的时间用轻质木材搭架小的脚手架模型，以确定条幅的确切位置。因此，整个安装浑然一体。

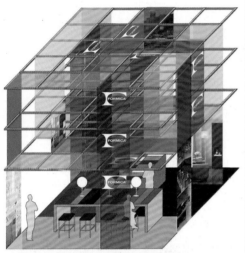

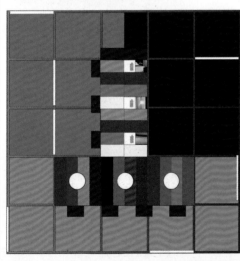

在最终的平面图中，设计者还是重新采用了一张桌子的布局，但是把桌子的一部分抬升至吧台的高度，而其他部分低一些，像传统的桌子那么高。地毯被分为三个区域，以相近的颜色区分为不同的空间，并且与上面条幅所用的暖色的红形成互补关系。其他色彩则还是采用条幅的颜色。

我们曾想到采用鲜艳的颜色。首先想用在地毯上，然后是条幅被印刷成与之匹配的颜色。桌子上的许多新颜色非常醒目，我们用桌面的白色和木板的颜色来进行弥补。

Deanna Kuhlmann-Leavitt，负责人

从展台的外面看，桌子的方形结构与悬空的骨架、包裹用的网织物，从远处看形成一个清晰的结构。远近透明嵌板的叠加，产生一个动态的三维空间。

展品陈列处的表面覆盖着暗色调，与产品形成对比，产品的色彩更加鲜艳，在色相和肌理上变化更多。球状灯散发出柔和、温暖的光线，为以方形为主的空间带来曲线感。这种曲线还表现在桌子展台区郁金香形的坐椅上。

05

Podravka公司2006年年度报告
Bruketa & Žinic | 克罗地亚萨格勒布

底线：必须用心

The Bottom Line: You've Got to Have Heart

Podravka是一家位于克罗地亚Koprivnica的食品公司，距萨格勒布东北约60英里。它与美国公司，如Kraft或General Foods公司类似，为各类批发店生产半成品和包装食品。

同时，它也是一个组织严密的公司，以诚实经营。"这是一家用心经营的公司。"克罗地亚这家设计事务所的一位负责人Davor Bruketa说。他负责Podravka公司年度报告的设计工作。这一点也成为Bruketa和他的合作伙伴Nicola Žinic的设计思路，而后者想把报告设计成不仅仅只有干巴巴的数字。他们说：在这个年度报告里，品牌的价值要比通常的年度报告所反映的高好几个层次。

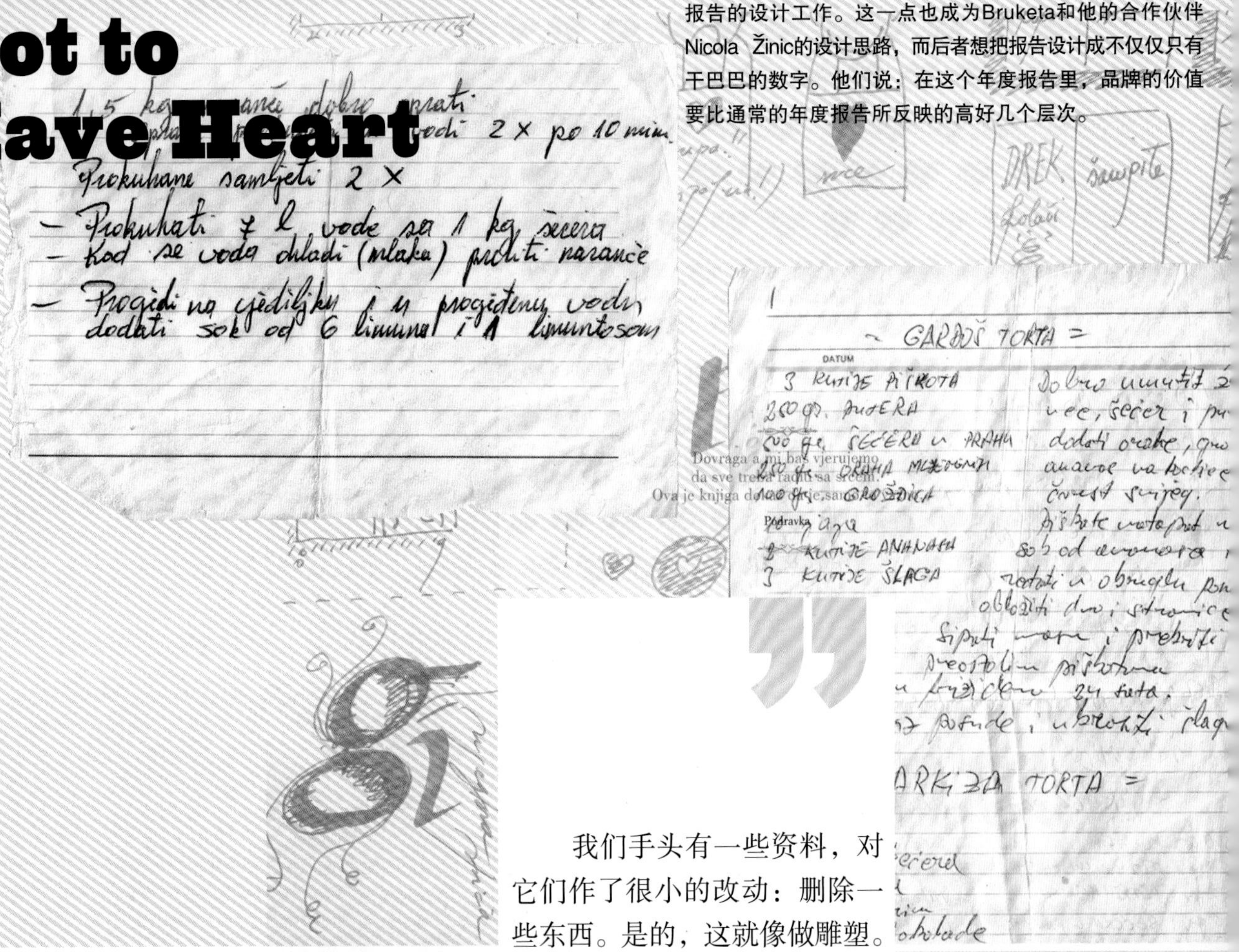

我们手头有一些资料，对它们作了很小的改动：删除一些东西。是的，这就像做雕塑。你把石头一层层地切掉，直到得到你想要的。

Davor Bruketa，负责人

设计师团队的四位成员——Bruketa，Žinic和两个副手——常常随意地手绘草图，把资料分割整合到一起，或在电脑上看看文字和图片。这是设计师们为Podravka公司第七次设计年度报告，他们已经熟悉了这个品牌，知道要把公司基本的商业理念传达给报告的阅读者——股东、客户、贸易伙伴。他们在这些资料中找到了很多乐趣。

这次，这个团队花了大约一个月的时间想出了一个创意，讲述一个公司用心经营的故事，这与他们以往的做法不同。他们将几乎完成的创意稿交给客户。"一般客户都希望看到用几种不同的方法运作项目，但这一次不同。我们一直知道，唯一的一个就是最好的一个。" Žinic解释说。

设计已进行了三十多天，许多资料都作了改动，或因新的资料而被删除，为完成这个设计，设计师们不断地讨论、完善、合作。

为表现出客户的特点，设计师们从不同的角度进行了尝试。第一个设想是把个人手工制品同烹饪结合起来，如上图的老配方和杂货店的名字。这些未做整理的、看似无意的，以及不加设计的要素——撕裂啊，污点啊，所有这一切——都表明了一种观点：人性、诚实、亲切、怀旧及温暖。另外，它们的材料、颜色都与精致的图片或资料做对比。

设计师们边收集资料边手绘草图。一些很小的版式图和精美的随意之作放在一起，表明了设计师构思过程中的探索。许多这种随意之作都被用在完成的年度报告里——这也是另一种"个性化"的元素。上图中，装饰性字体、饼形罐的图案、心形图案及抽象的花相互穿插在一起。

"我们没有采用的创意还有很多，最好的那个经过了时间的检验。"Bruketa说。这是设计师工作时常用的方式。然而他们也很快指出，不会每次设计都采用相同的方法。Bruketa接着说："我认为用同一种办法解决每个不同的问题是错误的，也是不可能的。"

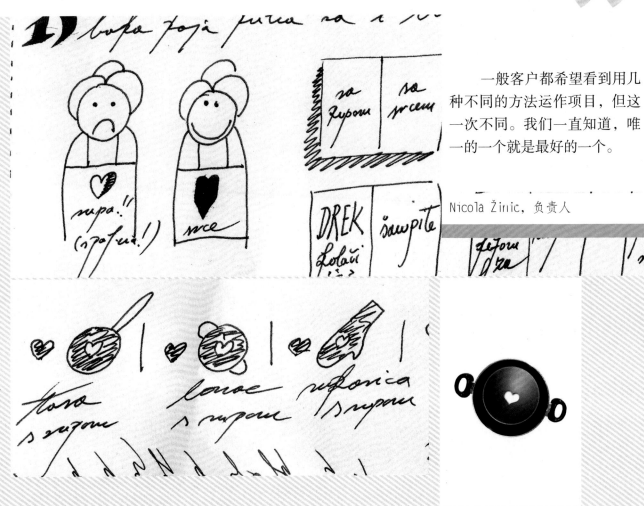

一般客户都希望看到用几种不同的方法运作项目，但这一次不同。我们一直知道，唯一的一个就是最好的一个。

Nicola Žinic，负责人

上图中，一个类似照片的草图内容很简单：一个悲伤的厨师和一个快乐的厨师，其中的一个是在Podravka的厨房里工作。从概念上来说，这样直接的表达适用于整体的创意，并有一点幽默感。对图片本身来说，厨师的面部表情就清晰地表达了观点，但她围裙上的心形表现得更多——一个是无色的，分成两半；而另一个是完整的，还被涂上了红色。

在另一组草图里，在一些厨房用具，如壶、平底锅和隔热手套上都刻了一个心形。当设计师尝试着运用照片形式来表现这个创意时，这些在厨房里不起眼的东西忽然变得明显起来。

这个年度报告就是要告诉人们为什么用心做事非常重要。并且用不同的方法表现了相同的意思，其中用纸、装订及印刷技术常常是每一部分中最重要的。

Žinic解释说："在第一部分会有人对用心做事的重要性提出疑问，我们在一张较薄的纸上用黑白图讲述他们的故事。在另一部分，我们在一张稍厚的纸上，用照片表现用心才能做好事情。"

上图是为另一个创意设计的小草图：设想有一个可疑的人不愿意为这些人做饭，这些人是：一个似乎有难闻味道的女人，一个有威胁表情的医生，一个朋克摇滚歌手，他们都带着凌乱的符号。为了用普通的照片把这个粗略的草图所表现的创意变得生动起来，设计师选择运用细节和色彩赋予人物以活力，增强他们的表现力。一个老年妇女身着豹纹衣服，抽着烟，说着什么话。视觉、心理和色彩都起到了对比作用。外科医生身后冷色调的蓝绿色好像是无表情的、几乎苍白的。

下图有文字的草图表现了一个有趣的细节：一个像圆点一样的元素与中间的栏目对比，改变了版式的对称性，并使页面的空白处更为生动。

"第四个部分是一个独立审核员的财务报告，印在一种传统的'毛边'纸上，从视觉效果上表现出：这一部分不是由Podravka公司做的，而是由审核师做的。"

除了用不同的纸张，设计师还采用了各种形式的照片：黑白的、彩色的、剪影的，并采用了不同的印刷技术。一种雪白的纸用于印刷精致的证明文件、手写笔记和随意的书写文字；鲜艳的标签纸用于印刷产品的烹调配方；手写的叙事部分，看上去像是用书信的方式讲述关于烹饪的温暖的故事。运用不同的材质、图标、叙事方式、图片及文字——都运用了高超的工艺——使年度报告不同的组成部分成为一个清晰的整体，并具有极强的人性化特点。这也正是设计师所追求的——"我们用心做事"。

> 在这个愤世嫉俗的社会里，我们就是想证明：不用心做事什么也做不好！

Davor Bruketa，负责人

缝制、胶粘、精装、绳结，这个年度报告正符合了"拜物者"的梦想。封面采用粗浮花纸，只用黑色印刷，明确而清晰地传递了两个内容：这家公司运作良好；它对自己的产品非常关注。

　　运用特殊的细节强化了年度报告独具个性的方面：手写花体字、手稿及精细的随意之作。这些元素表现出来的自然形态与空白的页面、清晰的印刷及醒目的几何形标签形成了对比。

　　这些照片有一种非常安静的格调但不是苍白的，而是有意识地在色调安排上增添一些柔和，并减少对比。一般的年度报告极少用深色处理清晰的图片。这种柔和的色调似乎是人性化的、容易接近的、坦诚的。

　　最终定稿的悲伤/快乐厨师的图片非常幽默。看似简单的创意却因照片的细节有了丰富的意义，从左到右，由擀面杖的选择到色彩饱和度的细微变化。左页图片色彩的减淡非常细微，甚至是刚能看出来，却加强了"沮丧的情绪"这个主题。

　　文字数量调整到最佳数字——每行55到75个字——保持了行尾整体统一的参差不齐和最少的断字。插图编号用红色，正好与左侧主栏目的直线性相对，表现了细节，也比较容易导入内容。

　　文字与表格采用一种清晰、过渡性的衬线字体（serif），以醒目、规整的斜体字突出信息性的部分。注重空间、标点、表格线的粗细及调整，使报告既清晰易读，又能强化创意性。

选用的图片主要是摄影作品，能立即让读者产生信任感。因为相对于插图而言，一般人都更容易相信照片所反映的内容。第一组照片是两张叙事性的图片。如上图所示，第二组的图片是图形式的。注意一张图片作跨页处理，使空白的页面更为生动，并产生一个紧张而开放的区域。

最后一组，叙事性的部分表现为一本图片杂志，一页页地穿过报告的中心折页，产生一种实际的杂志页面的效果。图片的三维效果和手稿的真实性给人一种真实和亲切的感觉。

深色的菜谱贴纸用在简单的白色页面上，成为有趣的焦点。每张贴纸都主要使用两种颜色，一般是近似的互补色。文字采用一种人性化的灯芯体，与其他文字形成对比，在整个页面上呼之欲出。

扭、转、推、拉
Twist, Turn,
Push, Pull

有时设计项目的主题靠自身就能够表达出来。舞蹈就是这样一个主题——它自己本身就是自己的创意，而且常常有很强的表达效果。毕竟，表达就是它的目的。对设计师来说，就存在一个用静止的印刷形式来表现这样一种媒介的问题了。可能会有两种方式来表现：把作品设计成一场出色的表演，或者保持设计的静止状态，而让媒介自己来表现自己。在面临这两种可能性时，Surface的Markus Weisbeck和Katrin Tüffers选择了后者。Forsythe公司——一个现代芭蕾舞公司的2006/2007活动图片宣传册，构图简朴，人物安排简洁，用文字讲述了舞蹈的本质。整个设计没有任何夸张之处。

上图粗略的电脑处理图是在进行正式拍摄之前交给客户的。这些图片是从以前的活动中选出来的，用来确定拍摄和剪裁的基本前提。但在拍摄前，没有任何的情节串联图板或艺术指导。

设计师和客户在手提电脑上查看了这些数码照片，并且当场决定不介入照片的拍摄。后来又更改并重新拍摄了这些人物腾空跃起的照片，并且对最终选定的照片进行了编辑。

客户公司的创立者William Forsythe立即想到了舞蹈领域，还研究了传统芭蕾舞语言所具有的伸展性的本质。他在探索舞蹈的替代性方面所做的工作，为观众以及与其紧密合作的音乐家、舞蹈指导和舞蹈家广为所知。这种经严格的传统训练而产生的直觉性的、灵活的方法，与Surface设计工作室的美学完全相符。

Surface的合伙人Markus Weisbeck和Katrin Tüffers曾在此前的宣传活动中与Forsythe合作过，每次都能找到一种既灵活，在视觉上又十分简洁的方法，作品既具资料性又是照片形式的。

Weisbeck和Tüffers花了大约两周的时间去寻找另一种表达舞蹈本质和身体表现形式的方法。他们的敏锐性和Forsythe公司的历史与业绩，都促使两位设计师再一次采取了照片形式进行设计，但这一次在方法和风格上都有所发展。"我们这次的想法是把舞蹈者的思想用雕塑来表达，"Weisbeck说，"我们想象有一个灰色的背景，舞蹈者孤然一人，周围什么也没有。"在对以前活动中抓拍的图片进行快速浏览，并整理成Photoshop文件后，Weisbeck和Tüffers与Forsythe签署了协议。后者也同意这个大致的创意，并且着手开始拍摄。

拍摄本身并无计划，但却是本着真实合作的精神，并按照Forsythe公司灵活的方法进行的。拍摄的方法是当场确定的，期间还经过Forsythe公司与Weisbeck和摄影师Armin Linke的讨论。

舞蹈者将胳膊和腿伸进衣服里，将身体摆成雕塑般的造型。这种非凡的造型超凡脱俗，身体几乎呈黏土状。

在这组照片的拍摄过程中，一张灰色无缝的纸制幕布挡住了舞台。设计师和摄影师剪切掉画外活动，将人体作为唯一关注的对象。明亮的聚光灯将阴影投射在幕布上，为简单的人物轮廓增强了立体感。

摄影使图片的结构和形式的清晰度得到高度强调。

Katrin Tüffers，合伙人

拍摄当天，摄影师、舞蹈者和设计师们好像没有任何道具和布景。设计师和摄影师让舞蹈者靠近背景，一道强光置于舞蹈者上方，拍摄出高对比的图片和极清晰的细节。闪光灯捕捉到了舞蹈者凝固的瞬间。

跟以往拍摄的照片不同，以前舞蹈者都是旋转的或是跳跃着的，而这次舞蹈者被拍成扭曲的姿势，以产生一种不定型感。舞蹈者要尽量使动作夸张，撑开衣服。拍摄进行了几个小时，Weisbeck、Forsythe公司的人

及Linke在手提电脑上查看这些照片，并把那些捕捉到舞蹈者最佳状态的照片选择出来。

Weisbeck和Tüffers把图片从手提电脑上下载下来，把它们组合成不同的形式，用在宣传册、传单、广告、招贴上。将舞蹈者扭曲的身体轮廓最大化，并配以文字。文字选用一种沉稳的、简朴的灯芯体（sans serif），所有必要的信息都设计成一个或两个栏目，通常高度相同。

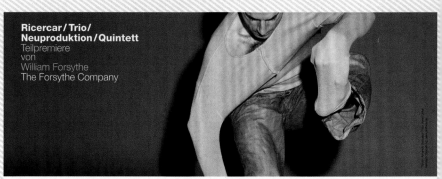

设计师运用Photoshop的eyedropper工具了，从图片的色彩中选择了一种作为文字的颜色。另两种色彩补充了这些基本颜色，在色温、明度或色相上产生对比。这个项目中，两种色温

值稍有不同的蓝色与从图片中选取的、以橘色为基调的暖色相对比。文字的这种色彩运用方法，在文字和图片间建立了一种很强的视觉关系，而不必采用夸张的排版形式。

把图片组合进各种印刷物的框架中花了很长的时间。动态的剪切方式在画面内外产生了运动感，能够夸大扭曲的姿势，使其突出于背景。在人物四周多留了一些空间——一些比例相等的空间，产生轻松的、静止的

效果。近距离的裁剪，使人物和页边距间的空间形状更多变，更无规律，可以加强人物的雕塑感。

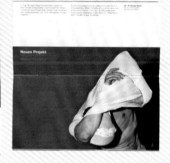

设计师因Grotesk字体形态简单而选择它与图片相呼应。Grotesk字体简单、轻巧及统一的笔画、平直的接合，都与大块的图片形成对比，产生一种愉悦的线条感，但同时又与其色调对比产生呼应。

把宣传册中的图片按不同的宽度水平剪切，当读者快速翻阅这个册子时，就会产生一种短暂的动画效果。白色文字区域的间隔按比例改变。尽管人物是凝固的雕塑般的姿势，但看上去像是在跳舞一样。

07

書装设计：杂志封面的一百年

Research Studios | 英国伦敦

多种版本的历史

History in Multiple Editions

杂志，无论其内容多么琐碎或专业，都为文化历史提供了一个独特的窗口，有效地、及时地出版和提供了关于时尚、饮食、政治、美学、科学、道德，以及其他人类贡献的、几乎毫无间断的记录。特别是杂志的封面，记录了某一时刻文化脉搏跳动的瞬间。这也是本书的出版者所思考的，从这些历史性的记录中追寻过去几个世纪的历史。Research Studios有七个设计师，由Neville Brody领头，他是一个特立独行的英国设计师，有着丰富的编辑经验，或许因此就在承担图书的视觉设计方面有着独特的地位。Brody利用他的杂志经验，巧妙地将大胆的版式与适度的出版设计敏感性统一起来，成为一个丰富的图片合集。

100 YEARS OF MAGAZINE COVERS

> 我们设计一本书可能会花很长时间，不是想让它在风格上与众不同。因为这是一个历史性的资料，我们的目的是把它保存下来，而不是在几年后扔掉。
>
> Neville Brody，创意总监

封面设计完全集中在一个综合的概念上——题目用大号字，要有强烈的色彩区域。上图这个较早的设计方案中，题目采用超大字体，横穿整个版式，依靠在笔画、字数，以及比例上发生的改变来表现。然而，正是这个将杂志封面用到图书上的创意，引起了客户的极大兴趣。

尝试各种类型的封面使设计师们得以对不同关系的微小差别进行比较：文字与背景的明度之间，文字的大小、位置及调整位置之间，文字与图片数或图片的大小之间，等等。设计师们认为，仅使用一张图片在表达图书主题的深度方面不够，然而，如果所选的封面太小的话，也就失去了它们的吸引力。

设计大约开始于出版前一年，Brody和他的助手Marcus Piper及Nick Hard从一系列的封面创意开始。总的来说，他们对这本书的设计思路是相对稳妥的，要展示上百本杂志的封面，要把它们融合在一起，而没有硬加进去的感觉。

这种方法指导着他们对封面设计的思考。"自始至终都有一个主要的思路来完成设计作品。"Brody解释说。对封面设计的设想主要集中在要把题目表现为超大的、醒目的效果，和色彩的各种变化。

对这些选出来的封面创意又进行了另一轮的研究。设计师从中看到了一种色彩变化——一种深的、饱和度高的蓝色，而不是橘色——把它尝试着用在其他字体上。冷色调的蓝减弱了图片的色彩，橘色似乎帮助它们更加大众化。

设计师最后决定用一种钢印字体来保持封面的中性色彩，但又使它具有一种特性：可以随之转到图书的内文里去。一种斜线的样式把文字从封面凸显出来，与巨大的字形相对比时，表现出明显的细节来。

一些设计方案，包括选出来的杂志封面，都立刻引起了出版者的兴趣。

"封面一旦选择出来，就稍微进行了改进，"Brody回忆道，"但大体上已经通过了这个方案，而且封面的风格也表明了内文的设计思路。从那时开始，这本书大部分的设计过程都是顺其自然的。"那就是说，Brody和他的设计团队在不同的角度把设计发展的每一步都呈现给了客户，特别是那些要编辑的内容和特别选出的封面，必须与全书的风格完全吻合。

章节开始页的较早的设计保持着编辑的效果：章节题目十分醒目，由大量文字构成的"目录"一直延伸到下一页。一旦封面的设计完成，章节题目，包括巨大的数字都采用了斜线样式的字体。

最早的文字页面设计是，在题目、插图编号、内文和标题的字号大小上清晰地表现出主次关系。分栏的结构将文字排在较低的位置上。所有的文字都采用相同的灯芯字体（sans serif）。大号的页码所产生的设计效果是未曾想到的。

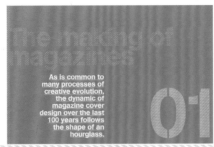

Design and Experimentation

> 这个项目的视觉形式目的是补充这些封面怪异的视觉效果，并用一种基本的视觉语言把它们统一起来。

Neville Brody，创意总监

有一种把章节开始文字设计成透明的、三维形式的方案，最终因考虑到简洁的线条图案和色彩的浓淡度而被放弃。

当章节标题设计展开后，各种材料都被分开使用以强化冲击性。同一对开页上的章节序号和介绍文字用一种中圆字体来表现。而在下一页，章节序号以非常大的字号单独占了一页，介绍性文字移到了下一页。

内文采用中性的灯芯体（sans serif），与一种打字机字体交替使用，加强了标题文字与整段文字的字体差别，同时使文字具有一种新闻效果。

"这个过程和一般的设计过程完全不同，它是一个变化的过程，来来回回，而不是直接产生。"主要的变化是在图片内容上，客户要求再加一些封面图片。

内文的风格是在封面的基础上确定的，参照杂志的版式，主题部分不明显。Brody和他的助手运用醒目的色彩引导读者从目录页到各章节，使整本书的设计呈现出一种视觉变化。每一章都以一个醒目的展开页面开始，从鲜艳的色彩区域流畅地过渡到明亮的文字区；然后根据所展示的图片，到下一个

黑白的页面；每个章节在视觉效果上都像是杂志的专栏故事；每一章开始的顺序都是一样的。

插图的编号和一种柔和的打字机风格的字体强化了这种特色。随着对封面不断的修改，以斜线来表现的设计方法也起到了这种强化作用。起初这种想法是用在章节开始展开的页面上，但很快就运用在整个文字页面中：在侧面的直排文字旁画上垂直线条，在插图编号下画线，并且以任意的形式出现在图片之间或图片之后，以使空间更加生动。

自始至终都有一个主要的思路来完成设计作品；客户看到了每一阶段的变化；编辑内容和视觉内容的正确结合是这个项目实现的关键。

Neville Brody，创意总监

从封面到目录页，直到每章的开始，都使用了一种粗字体。这种斜线的样式成为连接图片与文字的部分，使空间改变静止状态而变得更为活跃。

当然，所有这些内容都是严格按照八栏的网格组合起来。Brody垂直地或水平地运用网格安排内容以强调结构性，而不是强调一个或另一个。Brody详细地说明道："因为我们不能裁切封面，所以网格的使用不是很严格。"

另外两个设计师Hard和Piper与Brody一起，在最后一个月里加紧设计，整理校样和资料以备印刷。Brody说："这么多不同的杂志封面集中在一本书里，使这本书变得与众不同。"

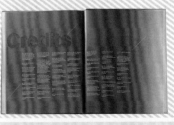

每一章节都采用同样的排列结构，特别是在章节开始及随后的页面表现得非常明显。这种编排方式从根本上来说极具编辑特色，对读者起到了导读的作用。色彩也有这种导引作用，把每一个章节都单独区分开，并且在目录页就确定了每一章不同的色彩区别。设计师们运用橘、灰和黑三色来统一全书的风格。

线条样式在插图编号中也有明确的细节表现，并在左边展开的页面上用窄条来表现，同时用色彩来区分每一章节展开的两个页面。

有时设计师并不完全按照一个相对较严格的网格来进行设计，他们在不裁切封面的情况下确定它的尺寸和位置，这也是出版者的要求之一。每个封面移动和大小的变化是要仔细考虑的，要在大的和小的，高的和低的图片间产生一种"弹性"，一会儿重复，一会儿又不按规定线排列，或单个出现，或成组出现。

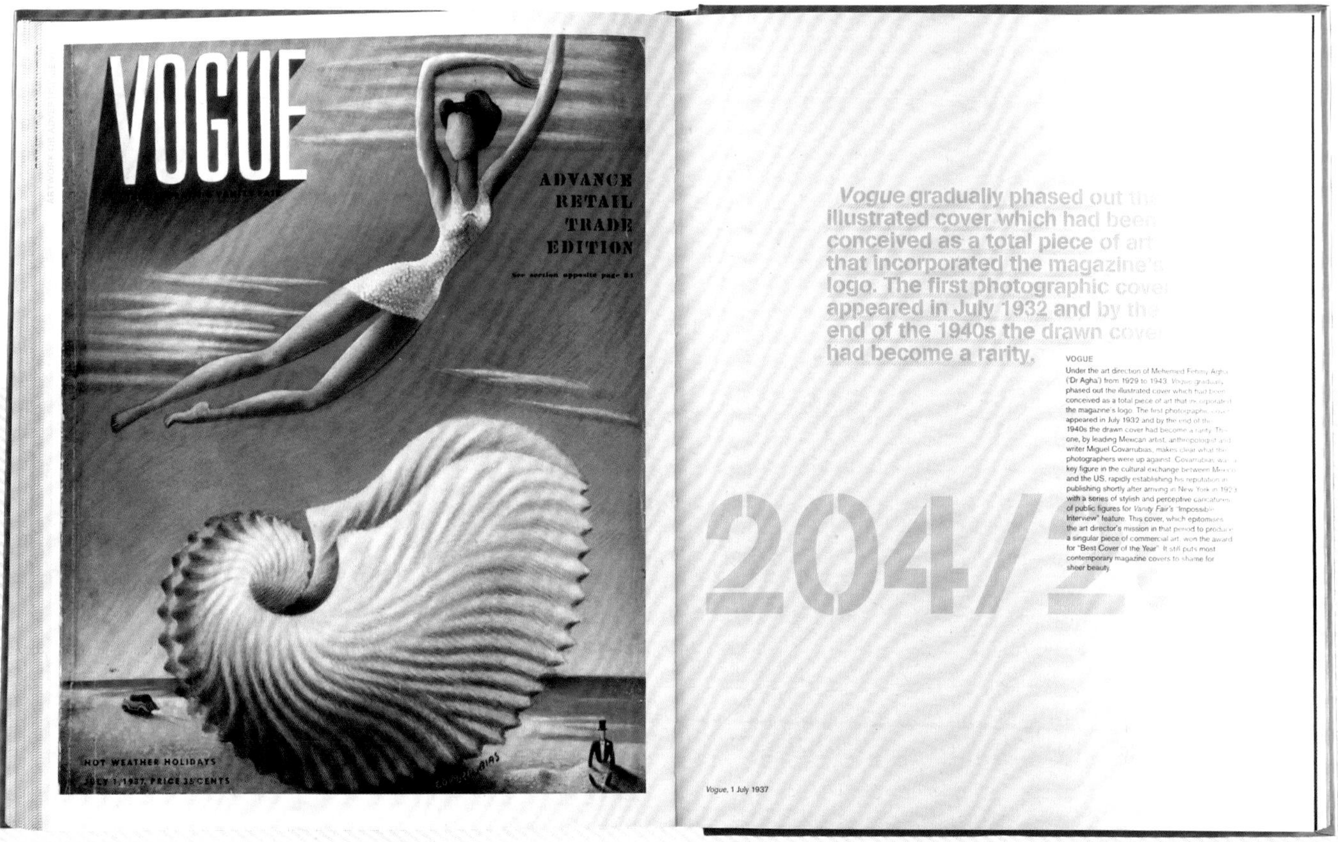

Vogue gradually phased out the illustrated cover which had been conceived as a total piece of art that incorporated the magazine's logo. The first photographic cover appeared in July 1932 and by the end of the 1940s the drawn cover had become a rarity.

204/2

VOGUE

Under the art direction of Mehemed Fehmy Agha (Dr Agha) from 1929 to 1943, *Vogue* gradually phased out the illustrated cover which had been conceived as a total piece of art incorporated the magazine's logo. The first photographic cover appeared in July 1932 and by the end of the 1940s the drawn cover had become a rarity. This one, by leading Mexican artist, anthropologist and writer Miguel Covarrubias, makes clear what the photographers were up against. Covarrubias was a key figure in the cultural exchange between Mexico and the US, rapidly establishing his reputation in publishing shortly after arriving in New York in 1923 with a series of stylish and perceptive caricatures of public figures for *Vanity Fair*'s 'Impossible Interview' feature. This cover, which epitomises the art director's mission in that period to produce a singular piece of commercial art, won the award for 'Best Cover of the Year'. It still puts most contemporary magazine covers to shame for sheer beauty.

Vogue, 1 July 1937

The counter-cultural magazine cover hasn't completely disappeared—it still lurks on the fringes of media in the form of *Modern Toss* and its scabrous satire, for example.

The twenty-first century, advertising-free, Internet-only incarnation of *Id*, under the aegis of the National Majority Foundation, bears *Parody* out, which was suggesting what may have happened to the counter-cultural magazine cover. The web that revolutionised the business of aggregating a viable audience out of a market of one can also kill it, as it can also, with its low cost of entry and democratised design and build tools like [...] subsume successfully the very action of viability in squarely oriented publishing.

186/

110/111

This British *Elle* could have been assembled according to the rules devised for magazine cover formatting by post-war psychologists: the framing of the shot, the angle of the head, the orientation of the eyes.

ELLE
WINTER FASHION AND BEAUTY
JANUARY 1991
£1.60
THE REAL WHITNEY HOUSTON
SPEED FREAKS THE THRILL OF FORMULA 1
MODERN LOVERS THE NEW SEX
FUTURE PERFECT
PLUS 1991 HOROSCOPE SUPPLEMENT

The contrastingly unwelcome status of dissenting covers in the age of globalisation were starkly illustrated by the 2006 launch of the 40-something-year-old music magazine *Rolling Stone* in China, which featured an image of Cui Jian, known as the 'Bruce Springsteen of Chinese music' on the front.

Unfortunately for Jann Wenner, the magazine's legendary American publisher, Cui's most notorious song, "Nothing is My Name", is an anthem for the student demonstrators in the 1989 Tiananmen Square demonstrations, an event that the Beijing government arranged to be excised from both the nation's collective memory and Google's database.

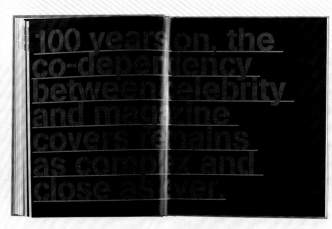

100 years on, the co-dependency between celebrity and magazine covers remains as complex and close as ever

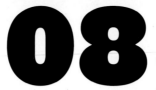

08

设计师努力防止公众对普通事件的冷漠，希望得到哪怕一点点已经信息疲劳的公众的关注。而能够使观众有所感觉并行动起来又完全是另外一件事了。这个项目就突出地表现了设计师在吸引公众对一个严肃问题的认识，并表现出同情心方面的能量。这个海报是为意大利人道主义者组织CESPI所设计，用视觉语言对正在进行的恐怖活动进行冷酷无情的提醒。简单的形式表达了深刻的寓意。

谴责冷漠

Denouncing Indifference

> 我希望这个设计不仅能够吸引人们的注意，也能使他们行动起来找到解决这个人类惨剧的办法来。
>
> Armando Milani，设计师

作为一个用心关注的行动者，设计师Milani常常与他的长期客户CESPI——一个人道主义者组织合作，设计一些公益项目。

Armando Milani是一个致力于沟通人道主义者组织与文化机构的设计师。他自己也常常是这类项目的创始人，与组织的负责人有着长期的工作关系，当需要的时候，还能够提供帮助。这个海报设计的动因出自一张报纸上的文章，文章详细报道了在达尔富尔发生的屠杀八十万人，或者人数更多的惨剧。而世界的其他地区却很少关注这件事情。

Milani说："我想要设计这样一张海报，谴责这场悲剧性事件。但我又一直没做。"

在这之后不久，他又看到了另一篇文章，这次是报道了有四百万非洲儿童死于饥荒、战争和艾滋病。这促使他产生了设计一张海报的想法。"世界其他地区的对这些事情的完全冷漠使我非常震惊，"他说，"在道德上，我觉得我必须做点什么。"

这个"做点什么"就从一张简单的铅笔草图以及一种羞愧的感觉开始：非洲——被遗忘的大陆。

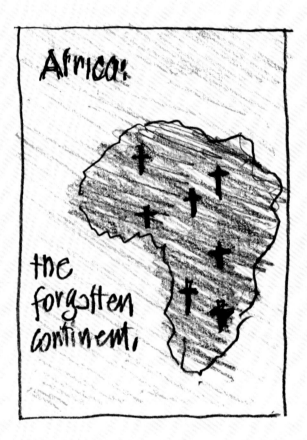

在上图设计中，图片的冲击性与直截了当的文字，向观众提出了一个无法回避的问题。大陆的形状和大小给人的感受、陆地周围的空间，都消除了对称的画面可能产生的静止感。用非洲的形状来表现设计，可以迅速认知并且增加一些信息：这块黑色的大陆隐藏着细节，并因此有一种位置感或确定性；西方的观众会将黑色与死亡和恐惧联系起来。

把原本在大陆里的文字挪到外面来，又在其间增加了一些新的内容——一组"十"字——象征着墓地。这些符号使观众产生新的联想，并且增加了与整个构图大小的对比。另外，文字摆放的新位置使空白的空间产生更多的变化——有的地方松，有的地方紧——从而加强了整个海报版面的整体对比性。

一开始，大陆是黑色的——没有画出地图——文字是反白的。Milani本想利用这种形式迅速地表达信息，然而在发现没有足够的表现力后，Milani又把文字从大陆的图片里移到外面，并在原来的位置上增加了另外一些图片：一些十字形。

在整个设计过程中，这一次新的尝试把海报设计推向一个新的水平。"我只是在开始用铅笔画速写，然后很快就用电脑来设计了。"Milani记录道。在设计海报文字字体的

初期，他从小写字母"t"上得到了灵感："t"几乎就是一个完美的十字形。尽管降低了美感，但Milani还是认识到，他根本不用大陆的形状就可以更好地表现这个被遗忘的大陆，只用字母本身的形式来替他说话。他迅速画出了文字的位置，这一次还加上了色彩，设计出一些滴血的十字形图案。

Milani感到，这个方案还是缺少简洁性。他又去掉字母的颜色，只在标点的三个点上保留了红色。除了小写字母"t"外，把其

他的文字都设计成深灰色。

深色的、有某种预感性的空间效果与十字形的惨白形成了对比。这时的十字形已经分布在深色的背景中。把十字形提高，离开原有的基线，Milani表达出一种超现实的、飘浮的感觉，能使人产生不确定性、焦虑和死亡感。Milani总结道："用这种方法设计图片很直接，能唤起观众的情感和知觉。"

设计师从一个小写字母"t"上得到灵感后，便决定将注意力集中在文字上。将此前的设计与新的方案相比，可以看出，因为可以用极大的字号来表现，文字的冲击力得到大大提升。文字周围的空间也因此变得更无规律。

在大部分的字体里，小写字母"t"都有一个钩，而Futura字体就没有。发现这一点不同就成为最终海报设计的关键。但仍需要做一些小的改变，把字母改成十字形——右边一横本来有点短，现在要拉长一点。

设计元素越少，关注它们之间的关系就愈加重要，以便产生一种动态的，而不是沉闷的、空虚的构成。文字在整个版式中的位置和空间表现了很强的关系；十字形的位置可以被看作是点的关系，能产生一种随意飘浮的效果。

在版式中水平排列的视觉要素看上去却不像排在一行的，这是我们知觉系统的错觉。设计师把下面的 "t" 稍稍提高了一点，从而使人产生错觉：一个 "t" 的底边与另一个 "t" 的十字交叉处完全对齐。

"Southpaw葡萄园"商标和酒瓶
Parallax Design | 澳大利亚阿德莱德

"Southpaw葡萄园"的葡萄酒制造风格不是传统型的。它的消费者们都是一些嗜酒狂，都想找到与众不同的酒来。"葡萄园"牌葡萄酒是纯生物的、非介入性的——既不使用化学杀虫剂，也不使用其他杀虫剂，而且葡萄酒商也不用确保酒的风味如一。相反的，每一年的葡萄酒都直接受到气候、环境的影响，并随着季节的改变而改变。位于澳大利亚南部的阿德莱德Parallax Design的平面设计师Matthew Remphrey，就把这种葡萄酒的特色全用在酒瓶标签的设计上——只用身边发生的事情来做设计。Remphrey说："这个商标要和生产地及制酒哲学相一致。"

变化多样，而无虚饰
Some Varietals Are without Pretension

> 我大部分时候都在商业圈中工作，贸易伙伴都有产品要销售。如果我想用一个商标来表达什么，那么我就希望观众理解它。消费者可没时间去猜设计师的想法。这不是说要用文字来表达，我只是想说我们的方法是为了表达更直接的关系。

Matthew Remphrey，负责人

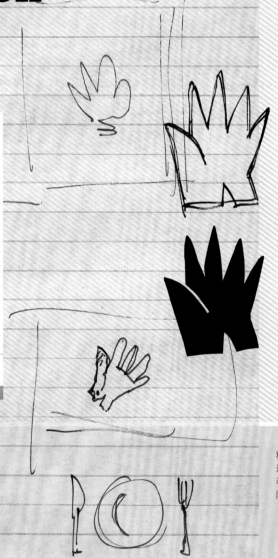

草图的第一个阶段是粗略的，只有一些片断。这个项目包括八周的预订和交付期，而有三周的时限用于把大致的设想呈现给客户。在这些略[图]有两种创意展示给[客]户：一个是照片式的[，一]个是文字式的。

葡萄园坐落于南澳大利亚的MacLaren谷，所有者是设计师的朋友，Henry Rymill。他被设计师形容为是一个对葡萄园的工作亲力亲为的人，一周要花好几天在那儿。Rymill把葡萄园称为Southpaw（左手），是取自一个有左手投球手的棒球队，而且因为他和他的妻子都是左撇子。

Remphrey与这种"亲力亲为"的方法颇有共鸣，他已经着手手绘草图设计标签，同时进行剪切。"我用了很多影印图，"Remphrey说，"我发现很容易有空间感和平衡感，特别是用剪切或其他方法处理文字，而不是在电脑上处理它们时。"

"一开始，我们给客户看了好多草图、片断、想法、创意最开始的部分。这不是最终的创意，而是探索的过程。大部分时候，当我们找对方向的时候，方案就会自己出现。这之后我们就琢磨出了两个创意。有时，我们只在一个方向上进行思考，"Remphrey沉思着说，"这依靠早期的反馈意见和我们提出的方案。我很少提出三种创意，更没有超出三种以上的情况。"

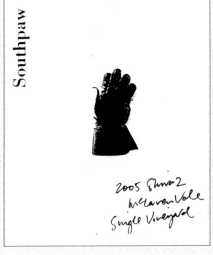

89, working for a few clients
Macintosh to use making
ook advantage of the new
control of their typefaces
identity. As processing
ewspapers followed, and
igital composition raced
ry. Before we knew it,
retail fonts' to corpor-
designers. Eager to reach
hoices, each used type to
. The number of seekers
phy skyrocketed, and we
ched for you directly, through
endors of operating systems,
velopers. This latest book
expanding *Retail Library*
e also includes the *Studio*
 tion of typefaces commis-
lients for publication and

用手套，而不是手来进行设计，象征着酒的制造者，也暗示了辛勤的劳动。这个图标更像一个说明，它粗糙的、影印出来的肌理都代表了手套粗陋的特性，也象征着在土地上辛劳的耕作。

第二个纯文字的创意非常明显，文字靠标签的左边对齐。它的肌理和位置都表明了设计师的观点。

"设计师的部分工作就是剪裁，我们别指望客户会帮我们做这些工作。"

为下一阶段的完善进一步提出了两种方案。一个是图片创意：用一个满是沙砾的、左手的园艺手套表现；另一个创意是纯文字的：一窄行文字排列在标签的左边。这两种创意都从粗略的影印图的形式到更精致的一步。在与客户的第二次会议上，文字版本胜出了。

在经过短暂的尝试后，设计师选择了Clarendon字体——一种早期的slab serif字体，作为主要的字体。"这种字体不会给人以自命不凡之感。" Remphrey认为。在酒瓶标签的左边放满了文字，也暗指主人和他的妻子都是左撇子。最重要的信息——商标名、酒名和其他信息——都用深深的红棕色在沉沉的、中性的文字中表现出来。

文字是用热箔盖上去，并用厚涂层的丝网印刷（这种工艺是用加厚的油墨连续印刷，从而使印刷平面突出而产生的一种效果），与无涂层的部分产生对比。

The **Southpaw Vineyard** veniam, quis nostrud exerci tation **McLaren Vale** lobortis nisl ut aliquip ex ea com modo consequat. Duis **2005 Shiraz** in hendrerit in esse molestie conse quat, vel illum dolore eu **single vineyard** facilisis at vero eros et accumsan et iusto odio dignissim blandit.

750ml

> 我花了大量时间进行修饰。因为标签是纯文字的，所以，大部分时间都用来排列和调整空间，以及诸如此类的工作。

Matthew Remphrey，负责人

Remphrey比较了好几种字体，想找到一种醒目的、具有特性的衬线（serif）体。在这些字体中有Century Bold, Caslon 224 Black, Bodoni Poster 以及一些stencil字体。然而，跟上述字体不同，Remphrey最终找到了Clarendon字体，能够含蓄地表达客户的要求。Clarendon字体和其他字体的一个最主要的不同之处是较少对比，也因此在粗细之间能更流利地过渡。它的衬线（serif）体也更粗，末端没有花哨的、装饰性的东西。Clarendon字体在细节方面的特点是较为轻松，无明显的风格，感觉上更容易接近。

The Southpaw Vineyard is a special patch of dirt in McLaren Vale, growing only **Shiraz** grapes. Our wine-making philosophy is simple—let the vineyard speak for itself. This approach can produce variation from vintage to vintage. In fact that is the point of it. But the resulting wine **is a** true reflection of what this **single vineyard**, together with the rain and the sun, produced.

750ml

由于这样处理字体，前面的标签就不能随着葡萄酒的更新每年进行改变，因此这些信息就放在瓶颈标签上。瓶颈上的标签，实际上就是一种装饰，同样只运用现成的元素来强调酒的天然性。纸箱继续沿用了瓶身标签的故事和设计，在拥挤的零售店里显得非常突出。

"在同类商品中，这个标签非常独特，" Remphrey强调说，"没有装饰，没有手写字或华丽的辞藻，没有葡萄园的图片，没有动物或其他家畜，只有对酒的坦诚的叙述以及它的来历，但仍有强烈的个性。"

我们在调查的基础上形成早期的创意，并逐渐了解了客户、产品和受众。但设计确实变得直觉性，即那些感觉对的事情。我觉得设计师的经验能让你知道什么时候事情是对的。在这个项目中，标签只是简单地讲述了葡萄园和葡萄酒的故事。

Matthew Remphrey，负责人

中性的米黄色和暖调的红棕色用来表现的自然特性：天然的、言的，没有任何人工痕迹。

手指的标志是一种装饰，用来强调葡萄园酿酒的纯天然性。这种熟悉的表达方法既容易辨认，又具装饰性，同时也传达了一种观点：这种酒没有任何添加或人工的成分，没有修饰，只有来自气候和种植园原有的。

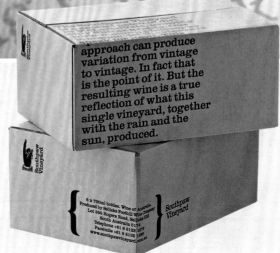

approach can produce variation from vintage to vintage. In fact that is the point of it. But the resulting wine is a true reflection of what this single vineyard, together with the rain and the sun, produced.

10

为美好的"线"
设计完美的线条

Nice Lines
for a Nice Line

标志设计就是一个精练的过程。能够迅速地辨认，轻松地使用，以及具有丰富的象征性——想要表达的东西都在一个小小的标志里，令人难忘，一下子就能从别的标志里区分出来。这意味着一个复杂的设计过程只为了得出一个最小的结果。这一点特别为设计师Gregory Paone所赞同，在设计标志时，无论客户是谁，他都抱有这样的想法。Paone说："我从不预先构思，这就是说为了找到一个有意义、视觉效果强烈的方案，我必须把每一个设想都画出草图。"对Nelson Line，一个精美文具产品生产商来说，正是如此。

Paone在各种便笺上勾勒草图，一些勾画了卷起来的纸，一些则是空白的。旁边草草写下的文字作为设计的参考。

Paone的设计从一些词开始，这些词都是与客户讨论出来的大致想法。这些词被他记在画草图的便笺本的空白处。这些词可能包含着与设计主题相关的、概念性的内容，Paone在设计过程中常常会想想这些词，他想出了他所能想到的所有方案，像客户首字母的各种花体字；字符号；字母变体为符号；字母和与主题相关的抽象性的或表现性的要素的组合；从可以辨认的或象征性的形式中创造出来的字体，如图标、纯粹抽象的形式；从有形的，可辨认的图片中产生的抽象形式、图标和符号；用可

辨认的方法设计出来的非标志性的创意，如印刷体或图案。

当他画草图的时候，每页都标注了日期和顺序，标明他的兴趣点或者某一页的创意有没有与另一页，甚至与另外一天的创意结合起来的可能。

这些用铅笔绘制的Nelson Line的标志非常丰富。然而，其中有很多点子都是围绕着便笺纸上的关键词，以此为计划设计字母、字符串，或者与文字形式相互作用以产生几何图形。

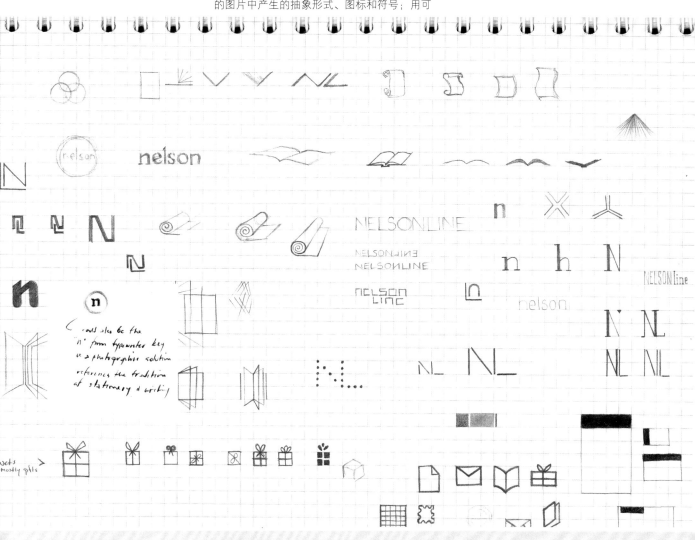

作为标志设计的起点，设计师运用纸张的数码照片来寻找设计灵感。在左边的两张图片中，透明的感觉、纸张的重叠、卷起来的纸，都成为标志设计创意的来源。

上图是从Paone的速写本扫描的一页摘要，以时间为序，一些相关的创意向前或向后的研究，与新产生的创意形成了一个有机整体，可以相互混合，也可单独延伸。各种图片放在一起相互比较，能够更深地加强它们之间的联系，思考某种形式产生的原因。

有一些草图最终用照片的形式反映出来，像用纸页的图片来反映字母"N"的轮廓。另外还包括其他一些图片，如用打字机键盘构成的图章，由"N"和"L"两个大写字母组成的一种线形的图标，圆圈里的手写字，一个羽毛笔的图标，礼物的包装。从后者，Paone找到了某些灵感。

"如果有的点子在刚一开始就不对路的话，我也就没花太多时间去仔细推敲，"他说，"我把它留在一边而对别的创意下工夫。"这个用铅笔所进行的过程一直持续到他达到

一种飞跃：向数码形式的转换。对Paone来说，当他看到了所有在他的绘画中能看到的效果的时候，这一切就立即发生了；把铅笔画的草图转成精确图也变得至为重要。在创意过程中，这种飞跃一般要在两到三周后发生，而在Nelson Line这个项目中，这个时间是十三天。

然而，用绘图软件绘制精确图并不是结束，而是更清晰地表现他的想法的另一种工具罢了。每个有点价值的创意都进行了一系列的变动，比较了各个要素的更改——线的

粗细、比例关系、位置、主动空间与被动空间的相互影响、高度与宽度，等等。

每一个创意——一共大概有五或十种——都要经过相似的推敲直到逐步清晰起来，能呈现给客户为止；或者创意自身因为复制问题以及信息不恰当，或因太老套而被放弃。

> 我从不预先构思，这就是说为了找到一个有意义的、视觉效果强烈的方案，我必须把每一个设想都画出草图。

Gregory Paone，负责人

几乎每一个标志制作的变化都是从一整套程序来考虑的：印刷的、索引的、图标的、象征性的、超符号的，以及把它们组合起来这样一个过程。

首字母的不同字体是表达理念的一种有效的方法，特别是把它们变成图片的时候。如上图所示的组合，纸的平面表现变成字母所产生的超码富含理性深度。

在设计过程的较早阶段，Paone找到了可能最终产生标志的创意。它的初期形式还不确定，有多大？多少个？线型的还是实心的？Paone把这些放在后面考虑，并在考虑别的创意时慢慢找到了答案。

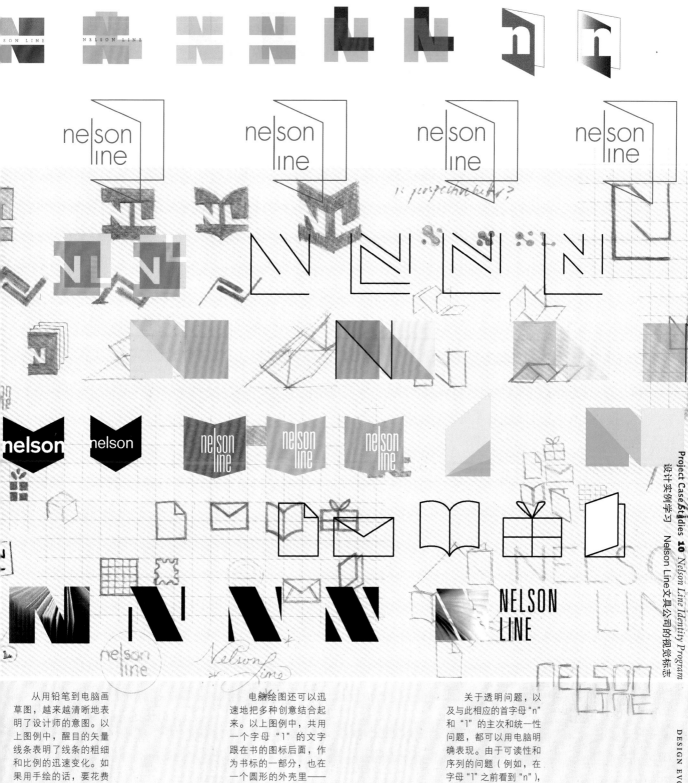

从用铅笔到电脑画草图，越来越清晰地表明了设计师的意图。以上图例中，醒目的矢量线条表明了线条的粗细和比例的迅速变化。如果用手绘的话，要花费太多的时间，也不可能达到这样精确的程度。

电脑绘图还可以迅速地把多种创意结合起来。以上图例中，共用一个字母 "1" 的文字跟在书的图标后面，作为书标的一部分，也在一个圆形的外壳里——有的有书标，有的没有书标。

关于透明问题，以及与此相应的首字母 "n" 和 "1" 的主次和统一性问题，都可以用电脑明确表现。由于可读性和序列的问题（例如，在字母 "1" 之前看到 "n"），设计师放弃了这个有趣的视觉创意。

Eli Nelson, *President*
eli@nelsonline.com

102 Commerce Drive
Number Six
Moorestown, New Jersey 08057

T 800 350 5463
F 856 778 4725
www.nelsonline.com

NELSON LINE

Eli Nelson
President
eli@nelsonline.com

102 Commerce Drive
Number Six
Moorestown, New Jersey 08057
T 800 350 5463
F 856 778 4725
www.nelsonline.com

---

nelson line

Elizabeth Judge, Vice President
elizabeth@nelsonline.com

102 Commerce Drive	T 800 350 5463
Number Six	F 856 778 4725
Moorestown, New Jersey 08057	www.nelsonline.com

在进行了彻底的研究之后，Paone把注意力集中在三个主要的创意上，进行了更全面的尝试。

首先，把许多跟纸飞机有关的创意都浓缩为使用一个字母"n"，用三个透明的飞机形表现。把纸的抽象的形式与具体的、线形的"n"合并起来，设计成一个优雅的超码，以一种容易理解的方式表达了客户的经营理念，并且通过首字母再次突出客户的名字。其次，在公司名中，Nelson和Line共用一个字母"l"，作为一本书的书脊。

nelson line

nelson line

nelson line

nelson line

NELSON LINE

NELSON LINE

nelson line

大约在最初的会议四周之后，这三个方案最终都提交给了客户。每一个标志都呈现在一张名片上，目的是测试小尺寸的标志的表现效果，并显示它们与其他辅助元素如线框、点、资料文字及色彩等如何相互作用。

设计师对最终认可的方案又进行了多次的完善。首先，调整了图标线条的粗细，以改变原先设计中的脆弱感。一种新古典主义的、现代的衬线字体代替了原来的字体。这种字体的对比不像其他同类字体那么极端强烈，而且仍在线条语言中产生一些丰富性。相对于图标，文字的高度也完全确定了。图标的排列保持不变，只在高度上有节奏性的变化，以产生一种运动感，从而与文字的基线安排产生对比。

最后，Paone根据较早的一个包装草图设计了一系列图标，每一个都代表一种文具。图标可以用不同的方式组合，用实心图或轮廓图来表现。正是这种不同的组合有非常强的吸引力。Paone把这三种创意都提交给了客户。经过讨论，图标的设计被认可，开始进一步的完善工作。

对Paone来说，现在的问题是使用与文具相关的色彩和字体。"最开始的设计全是关于创意和感觉，"他解释说，"在这一阶段，字体是我要随后处理的问题。"在经过几次

反复后，他最终选择了一种老式的Bodoni字体，而没有用原本的灯芯体（sans serif），主要是因为这种字体使图标和字母中的线条产生了对比。至于颜色，从四色（可能会提高印刷成本）简化成两种颜色，两种类似的绿色和亚蓝绿色，有相同的明度和强度。

在办公用品方面，同样花了几天的时间进一步设计，Paone对一开始的设计尝试了不同的版式。"我总是用一个标志，通常是用在名片或信笺上，这样我们就能看到标志是如何表现的。名片设计是一个艰难的过程，

因为要在这么一个有限的空间里表现这么多的信息。它预先帮助我解决了很多问题。"在其他办公用品的文字设计中，设计师选择了Gill Sans字体作为辅助字体，清晰的框线控制了信息结构，使之不与标志分开。

全彩色的办公用品设计减少为两种颜色：绿和蓝。蓝色是一种较暖色的蓝（里面含有一点绿色）；绿色较浅，表现出偏黄和灰的效果。这两种颜色有相同的明度。这确保了用任何一种颜色表现的设计元素，都能在保持空间统一的基础上被感知（既不显得突出，也不显得退后）。

在设计的最后一个阶段，Paone在最初设计的名片基础上，重新设计了其他办公用品。他只用黑白两色，将注意力只集中于每一个用品设计的构成上。

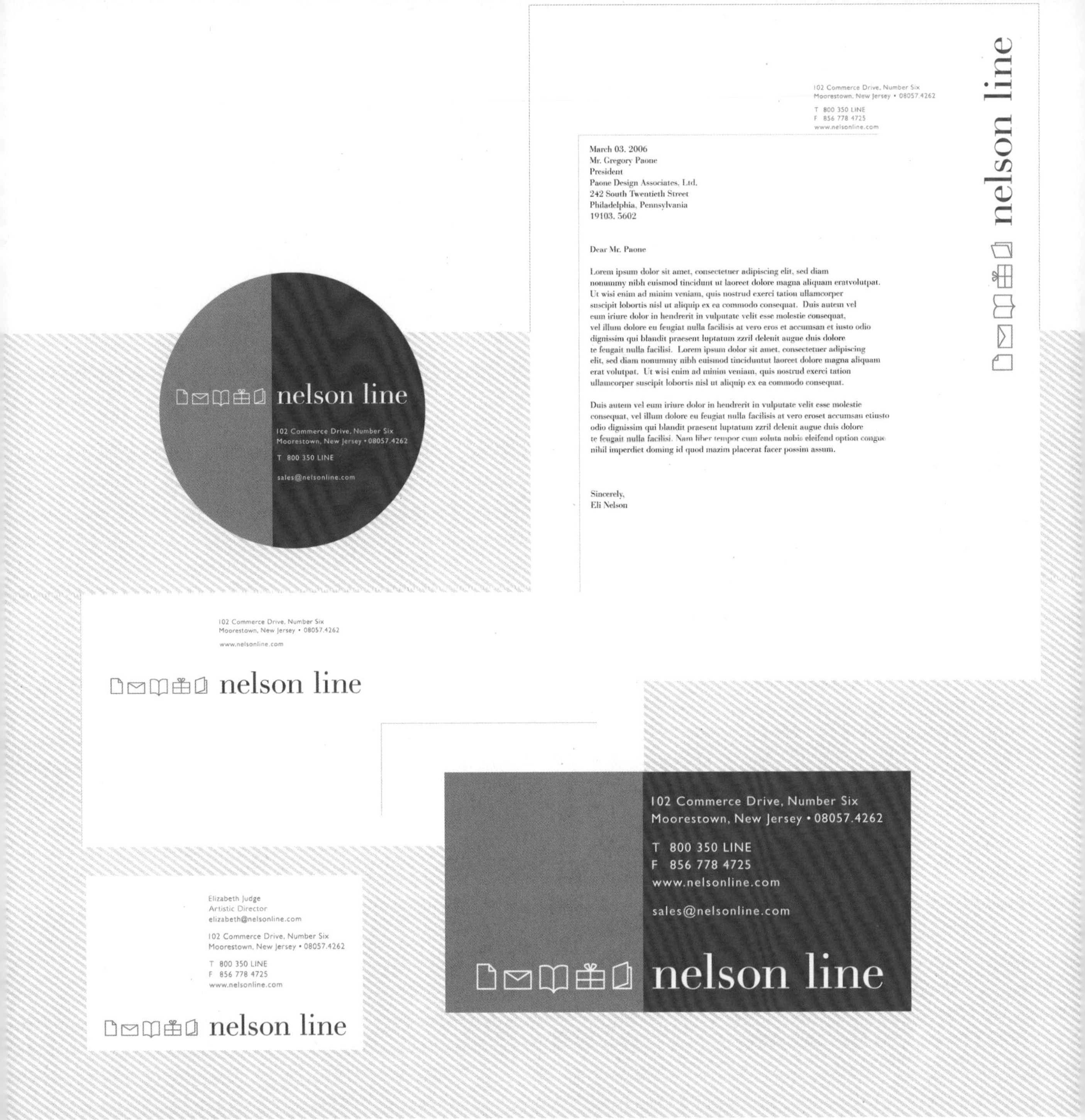

上图的文具设计中，将标志文字与图标按水平和垂直方向安排。在由各种元素构成的版式中，清楚明亮的线条描绘出不同功能的空间，并形成了一个几何结构。在一个有趣的圆形里，运用了标志，并且运用了大面积的色彩。

　　Paone给客户提供了一系列文字模板，用来设计信笺和发票的文字；还提供了产品的信息和尺寸，以保证恰当地用在广告，或者创建新的形式、名片或标签上。

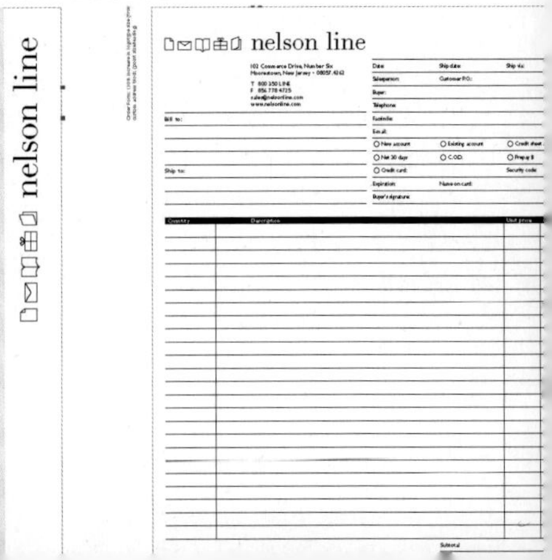

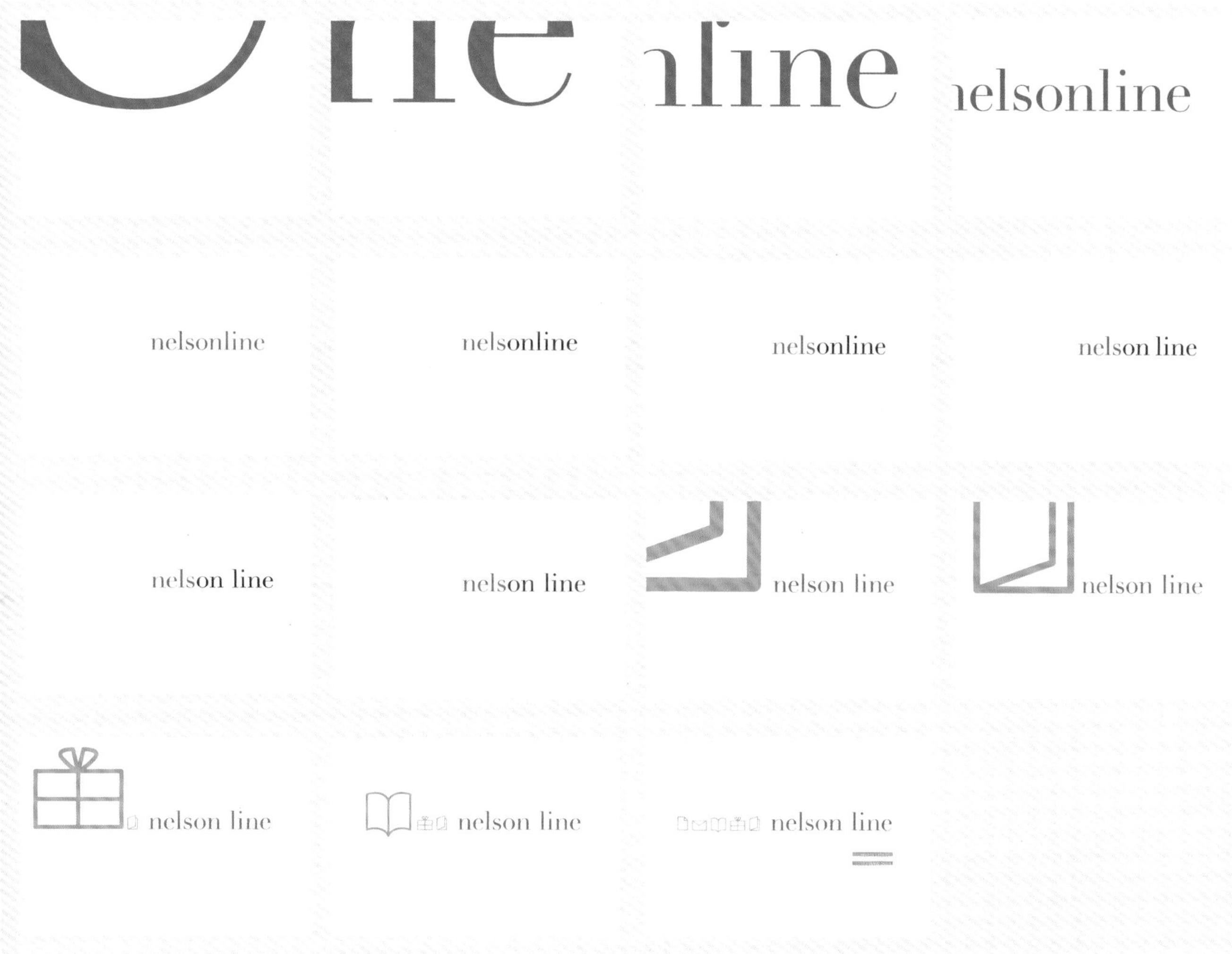

One nline nelsonline

nelsonline   nelsonline   nelsonline   nelson line

nelson line   nelson line   nelson line   nelson line

nelson line   nelson line

在上面这一系列flash动画设计的框架中，设计师表现了标志在网页环境中的活动性和灵活性。随着标志序列的前进，色彩的变化使文字呈现出新的意义。

11

CD包装设计：恐惧与希望

doch design | 德国慕尼黑

故事都有两面

There Are Two Sides to a Story

这是许多平面设计师梦想的工作：为自己喜爱的乐队做CD的艺术设计。但是如何将抽象的音乐表达出来，与听众产生共鸣却是相当的困难，而且可以说难度大到令人沮丧。从来没有人能躲得开沮丧的情绪。德国doch设计公司的Maurice Redmond接手的就是这样一个项目——为"北方先生"乐队的最新CD《恐惧与希望》设计封套。可能难以理解的是，"沮丧"成为CD封面视觉语言的重要组成部分，封面上细腻的图片，准确地捕捉到了音乐的概念和情感深度。

Redmond说，"跟一个乐队合作非常复杂"，"经常会有四种完全冲突的想法。我认为每次提出一种设想可能效率会更高。作为一种工作习惯，我从来没有一次提交多于两种或三种的设计思路。正如我所知道的，我的任务是使客户的选择更为容易。一开始就提出太多的设想往往说明设计师缺乏中心"。

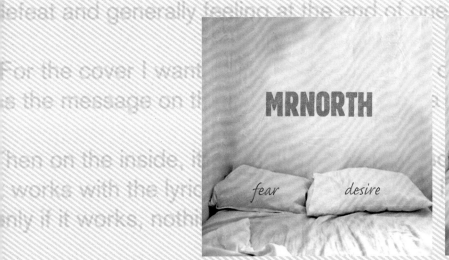

设计师首先记下设想。他觉得这个设想表现了他想象中的图片。这些想法成为他交给客户的PDF文件形式的第一页。

专辑的音乐表现了爱情故事中阴暗的一面。第一个设想主要表现恋爱的双方，从一张空床和两个枕头引出来。单一的色调——几乎只有黑色和白色，但有隐隐的冷紫色调——营造出一种冰冷和焦虑感，夸张地表现了因两个刚刚离去的人所产生的失落感——一种不舒服的感觉。光线也有一种神秘的、无法确定时间的感觉。

Redmond一开始先是写下大致的想法，这是他每次进行以图片为主的设计时的惯常做法。"我先用铅笔在纸上画出标志，至于细节，我要坐下来写出大致的思路，看看会有什么新想法。"在此之前，他已与乐队进行过沟通，讨论了专辑的内容和主题。他一开始记录道："这个专辑是关于易受伤害的爱……关于我们所做的、别人对我们做的一些悲惨的事情，其中会有对爱的追寻和启发。"Redmond边工作边听这张专辑。第二天

他就向乐队提出了他的第一个设想：这是一张照片，照片上有一张床，两个皱皱的枕头代表可能曾经有什么人。或许这正是专辑的名字想要表达的双重含义。

乐队很喜欢这个设想，并对色彩和字体提出了他们的想法。Redmond觉得封面应该比现在更暗一些。在第二次会议上，他提交了第二个设想——黑色的封面，上面是简单明了的题目。

对照片不同的裁剪方式打破了均衡的布局，但每次裁剪又都会产生不同的效果。当由枕头所产生的视觉水平线把构图分成两半时，所产生的舒适感与封面想传达的概念不一致；当图

片上移露出凌乱的被褥时，暗示最近还有人住，好像这两个人才离开这里；当枕头在整个构图的下面时，一整幅墙都被夸张地表现出来。

乐队现有的标志——一个醒目的、压缩的木刻灯芯体——和已经改变了字体的专辑名字一起，用来表现设计。明亮的手绘图非常直接，较少设计。当把文字印在枕头上时，每个词都

表现了这种看不见的情侣的情感。文字摆放的位置暗示了乐队讲述者的身份。一个可爱的、精致的和装饰性的手写文字增加了这个浪漫场景的讽刺意味：粉色文字暗示了与女性有关的

东西，如口红、热情、手写的日记本。设计成磨损效果的标志传达了一种厌倦感。

在专辑创意的旁边，设计师还设计了一种用在T恤和类似的商品上的宣传标志。这个创意以情人节用来交换的糖果表达年轻、质朴的爱情。

"我们花了一周多的时间，用来修改和讨论跟最初的创意不相符的部分。我只用了一个小时就提出了一个新的方案，而且一下子就找对了方向。"

在这个新的创意里，装饰性的、有花朵图案的墙纸几乎都被黑色的染料覆盖。新方案中最重要的特点是浓重的黑色，与背景图案的颜色形成对比。墙纸的图案会影响表面，形成一种几乎看不到的图案。Redmond说他的目的是创作一件艺术作品。"图案应该看上去像一幅画，像是把颜料涂上去的效果。"不仅仅是颜色，而是这种在花朵墙纸上涂色的方法，有一种象征性——象征爱情理想的失去和毁灭。

Redmond和乐队尝试了几种封面字体，最后选定了一种鲜明的衬线字体，全部大写，乐队的名称放在下面，字号稍小，采用显眼的灯芯体（sans serif）。"我想让文字简单化，从而表现出这个专辑是对一种复杂情感的探究。"

FEAR & DESIRE

MRNORTH

NEW CONCEPT Fear & Desire - Mrnorth based on the band feedback.

What would be prefered is:
A prodominatly black/dark co
An e
A si

The
The
The
A ph
posi
face

If explaination is necessary.
The wallpaper = the nest The nest = the couple. The couple = the id up with me on this?

Reg
Plea
should be a simple design, veering towards the innocuous rather tha
such. We can always experiment with the amount of paint covering
pattern is still exposed. Basically if the concept is agreed upon i can
tune it.

总的来说，乐队对第一个创意的反映还不错，但他们建议说，图片太枯燥了，而且是平面的，是否可以增加一个窗口或城市风景。他们还决定替换掉原有的标志，因为这个标志是跟上一张专辑有关的。他们希望文字要有奢华感，像是巧克力盒子。在考虑第一个方案的同时，设计师又提出了一个新的方案：全黑的封面，醒目的、全部大写的衬线字体。几乎没有什么图案，与文字的华丽形成反比。这两个最初的设想都有了改变，但乐队还是觉得没有达到他们想要的效果。

一个新的创意直接产生了最终的设计——一个装饰性墙纸的照片，几乎涂满了黑颜料。透过黑色能够看到墙纸的图案，产生一种隐约的图案效果。为了强调"刷上去"的动作，Redmond试着用颜料涂在选定的墙纸上，以达到想象中透明的效果。

这不仅仅是一张装饰专辑的图片，这张图片能让人们联想到他们的歌曲。他们对艺术作品有很好的感受，而且非常看重它。这也使我们之间的分歧更加有趣。

Maurice Redmond，负责人

墙纸就像一个象征，一个理想中的"窝"的象征。用照片来表现给了图片一种具体的感受——"真实"。把这种"真实"遮盖住，像是某种对理想的玷污。

一种过渡的衬线字体（serif）增添了微弱的对比，没有以前字体那种勉强的古典风格。字体采用灯芯体（sans serif），字号较小且在分割线下，为乐队设计了一个签名，从而把注意力吸引到创意本身。

12

Harmonie Sempach周年音乐会海报

Mixer | 瑞士卢塞恩

为眼睛创作音乐

Making Music for the Eyes

形式感的视觉效果非常强。不同的形状会有不同的感觉；大小的变化和安排会产生节奏感或响度。作为许多平面设计的支柱性要素，构成的抽象性质在设计师想达到的情感效果上起着非常重要的作用——特别是在安排可见的形式时更是如此。瑞士卢塞恩Mixer公司的Erich Brechbühl在为一个铜管乐队设计海报时就运用了上述理论，并产生了丰富的效果。对点和线的细致安排使它们变成了另外一种东西，并产生了强烈的效果。

Brechbühl设计的海报是为推广Harmonie Sempach乐队成立125周年而做的。Sempach位于瑞士北部，是距伯恩50英里的一个湖畔小城。海报的设计沿用了一个具有极其抽象传统的然而又是具象的海报设计理念，它曾在20世纪早期至中期被瑞士设计师普遍运用，并引领了瑞士的美学方向。这种理念现在普遍称之为“少即是多”。

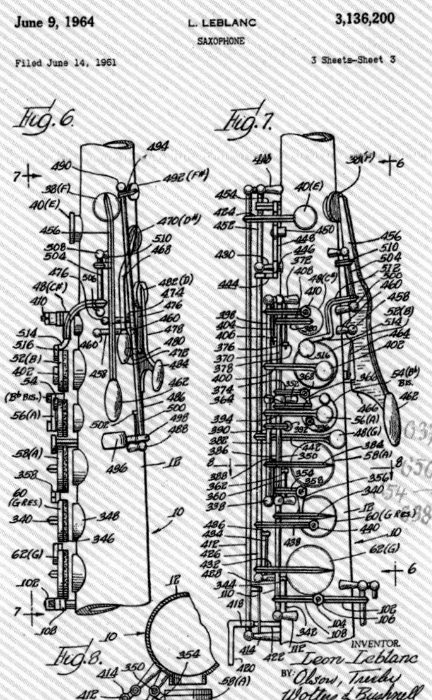

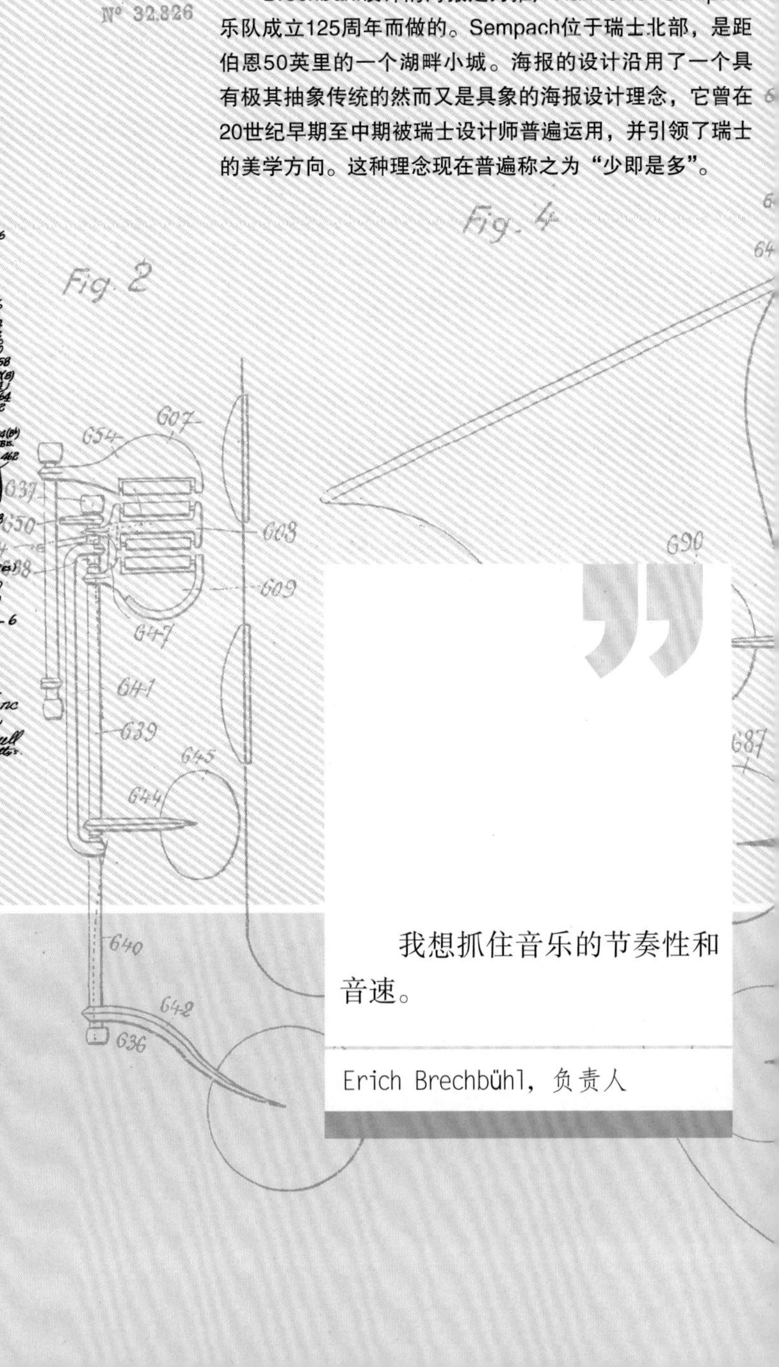

> 我想抓住音乐的节奏性和音速。
>
> Erich Brechbühl，负责人

当Brechbühl的设计运用了这种美学观念时，他的工作方法就是典型"瑞士型"的：通过研究来发现创意；把创意转化成简单的形式；去掉那些看上去无用的东西；在各类形式元素间建立起一种清晰的、明确的关系——无论它们是抽象的、具象的，或文字的。

"对每一个设计主题来说，我的调查都是重新开始的。"Brechbühl说。他不愿像许多设计师那样建立一个图片库。在为海报设计而进行的调查时，他搜集了许多铜管乐队演奏的图片，但他很快就注意到图片里的这些乐器——黑管、萨克斯、大号、喇叭等乐器的按键和真空管，都被设想成几何形状的一组点和线。

注意到这些特点后，Brechbühl就完全转向对这些机械部分的图片和图表的研究工作。他从一张铅笔速写图中了解到他想了解的：点和线不同方式的排列会在页面上产生一种节奏性的运动，从而迅速地传达出一种音乐感。

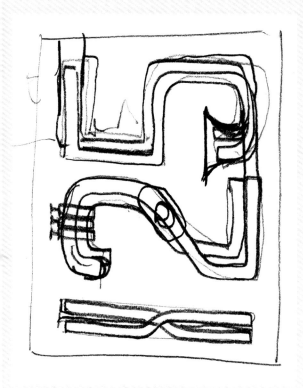

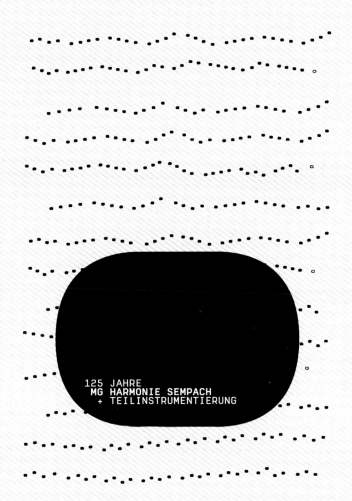

125 JAHRE
MG HARMONIE SEMPACH
+ TEILINSTRUMENTIERUNG

第一批铅笔草图中有一张充分表现了乐器机械部分的魅力。数字代表着乐队的周年纪念日，通过形式的改变转化成图片。

一张较早的电脑草图集中表现了节奏这个创意。点抽象地表现了音乐符号，从而使设计产生一种节奏性的运动。

他为乐队大致描画了一张草图，并且获得了他们的赞同。他说："对我来说，提交一个满意的方案很正常。如果客户不满意的话，我会再设计一个。"

出于对自己的自信，Brechbühl扫描了乐器的构造图，并且开始用绘图软件描画它们。他收集了很多乐器部件的资料，以备后期组合之用。接下来的一周，他对最初的创意进行了研究和发展。他先是花了几天的时间准

备绘图，然后把它们重复排列以便找到最有节奏感的构成、明暗空间的位置，以及它们与空间如何相互作用。简单几行文字采用规律而较大字号的中性灯芯体，与线性的节奏感很容易就融为一体，同时也加强了点的视觉感。

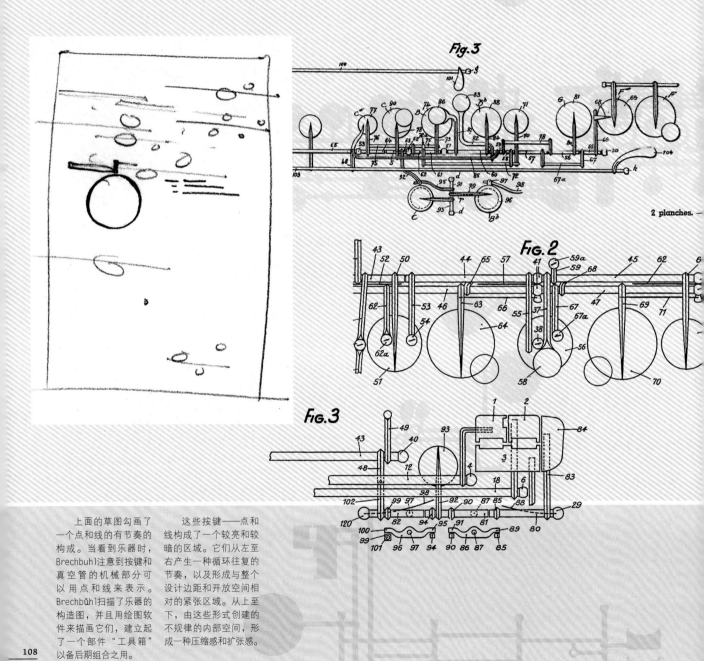

上面的草图勾画了一个点和线的有节奏的构成。当看到乐器时，Brechbühl注意到按键和真空管的机械部分可以用点和线来表示。Brechbühl扫描了乐器的构造图，并且用绘图软件来描画它们，建立起了一个部件"工具箱"以备后期组合之用。

这些按键——点和线构成了一个较亮和较暗的区域。它们从左至右产生一种循环往复的节奏，以及形成与整个设计边距和开放空间相对的紧张区域。从上至下，由这些形式创建的不规律的内部空间，形成一种压缩感和扩张感。

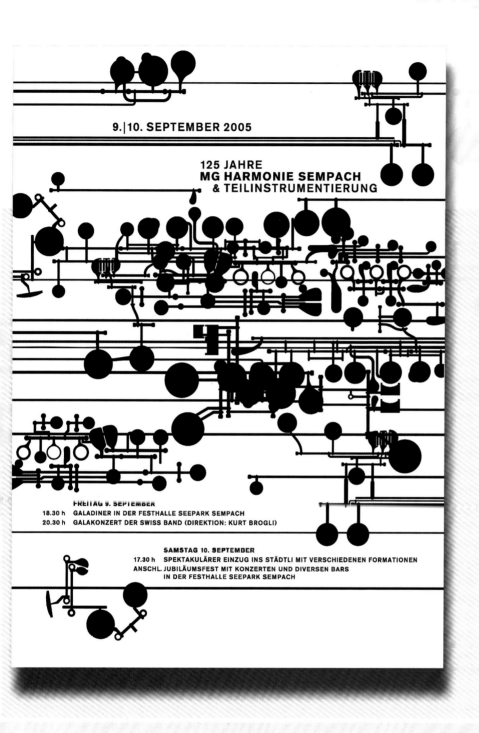

　　就像点和线是水平
分布的一样，图片也采
用音乐标记法——一种
次要的，也更抽象的表
现方法，加强了海报的
概念深度。

　　中性的灯芯体文字
与图片相呼应。规律的
和大号的字体与图片的
密度变化相对应。文字
全部用大写表示，加强了
水平感，避免了小写字体
可能产生的上下变化。

　　文字的位置与图片
和文字自身水平排列的
节奏感，形成一种相应
的垂直性；同时也产生
一种次要的、辅助的结
构，统一整个设计中各
种各样的空间。

13

实在是太酷了
Now That's Cool

从本质上来说，HVAC（供暖、通风和空调）行业是一个高新技术、商业与人类智慧结合的领域。整体性能良好的系统，其好处就是低运行成本，以及因工人健康状况的改善而产生的高生产率。另外，HVAC行业要依靠高水平的制造人才；系统部分产生于高科技工业部门，而且大部分的系统都已数字化操作。2FRESH 公司的Can Burak Bizer和他的团队就完成了这样一个公司标志的再设计工作，他们主要是随着对这一行业认识的改变而对标志进行了更新，同时也想为客户建立一个公司网站。一旦着手为Bizer HVAC工程有限公司设计标志，就意味着在进行一个新创意前，要从原有的标志中提取要素。所要设计的作品——具有清爽的、高科技的网站风格，和巧妙的、有活力的字标的网站——要清楚地显现出充满设计的新构思，以及将品牌延伸至新的推广媒体中的好处。

铅笔草图表现了设计师在表现空气与运动、旋转、循环及HVAC系统机械性方面的兴趣。螺旋桨和风扇直接源于图片资料，并进行了一些有趣的尝试，包括一个三维的风车。对标志来说，这个图片过于复杂和精细了，但为以后的工作提供了灵感。

当改变设计方向，试着画出客户的名字时，字母"B"和"T"的写法引起了设计师的注意。把这些文字试着写成扇叶片的样子，这个创意直接发展到用文字来组成一个十分特别的文字标志。叶片用重复的小写字母"R"低于基准线来表现。在螺旋桨图案中，字母是旋转叶片的一部分。

"我们主要关注空气和运动。"Bizer说，同时观察着HVAC机器设备——风扇、螺旋桨、摆轮、风车——来寻找灵感。收集的图片提供了广泛的参考资料，手绘草图也很快转向用电脑绘制螺旋桨和风车。

与此同时，Bizer和他的团队正在设计另外一个字标创意，保留了灯芯字体的特色，但又更具特点。首字母"B"，无论大小写，都可以设计成他们在螺旋桨上看到的扇叶的形式。然而却是小写字母"r"给了他们灵感。"它不知怎么就吸引了我们的注意。"Bizer回忆道。正是这个灵感——字母"r"作为螺旋桨的一个扇叶——使抽象的螺旋桨形式与文字协调地结合在一起。

下一项工作：设计网站。Bizer和他的团队设计了一个网页图来安排各个区域，把项目的参考资料表作为最重要的因素。公司的历史上有大量的工程，所以设计师们进行了删减，并按照实用性进行分类。其他主要的浏览区，或称第一层，包括公司信息、服务项目表及联系方式。当网站的网页图完成后，设计师们开始研究网站的实用性。Bizer说："我们想把网站设计成引人注目的公司图片网，而不是以信息为主。"

第一个方案是HVAC系统的3D模型图，运用它的零部件作为导航栏。中心部件代表主页，管道系统代表第一层级。

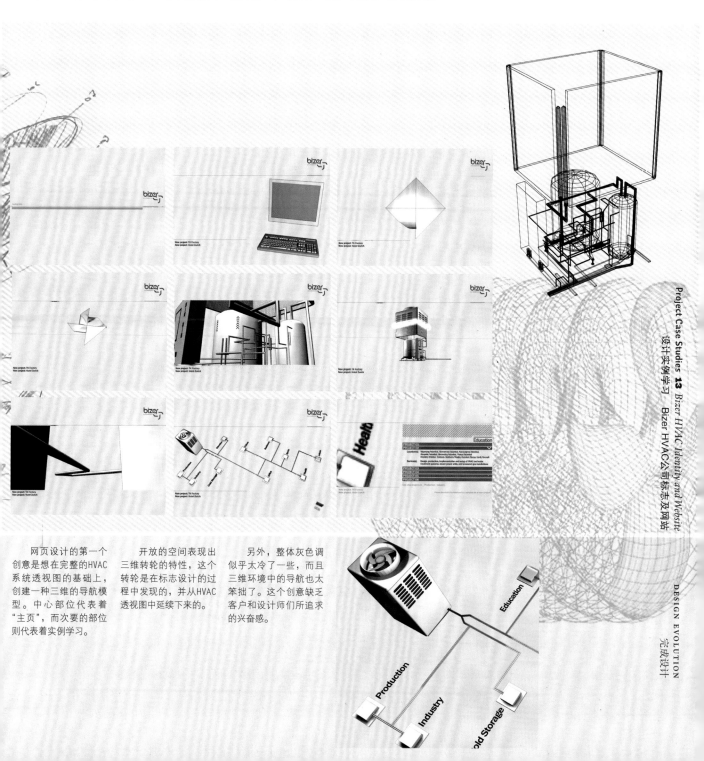

DESIGN EVOLUTION 完成设计

网页设计的第一个创意是想在完整的HVAC系统透视图的基础上，创建一种三维的导航模型。中心部位代表着"主页"，而次要的部位则代表着实例学习。

开放的空间表现出三维转轮的特性，这个转轮是在标志设计的过程中发现的，并从HVAC透视图中延续下来的。

另外，整体灰色调似乎太冷了一些，而且三维环境中的导航也太笨拙了。这个创意缺乏客户和设计师们所追求的兴奋感。

网站从一个螺旋桨变成中心部件的风扇动画开始。一个电脑控制部件代表另一个导航栏。

然而，由于团队其他人的反对，Bizer后来没有继续下去。他们说，网站的设计过多地集中在技术层面，而没有针对投资者、开发者以及工程人员；尽管系统的表现力不错，但好像过于枯燥，而且没有给人特别深刻的印象；明亮的色彩倒是冷色的，但表现

出的技术性不够。简单地说，"我们需要一些更特别更精密的东西"。

设计师们大概设计出了三个方案，想找到一种视觉效果强烈，而且不仅仅表现客户经营业务的创意来。所有这三种方案都在3D空间里表现为"技术"的抽象形式，某种真实的但扭曲的形象。其中一个是用动画形式表现的、有前卫风格的螺旋桨。这个看上去可能是最恰当的，沿用了标志设计的风格。

最重要的不是每一个单个的元素，而是由这些元素构成的整体。因此，对我们来说，完善工作就是把它们设计成一个整体，而且只要我们的工作是连贯性的，我们就非常愿意这样做。

CanBurak Bizer，创意总监

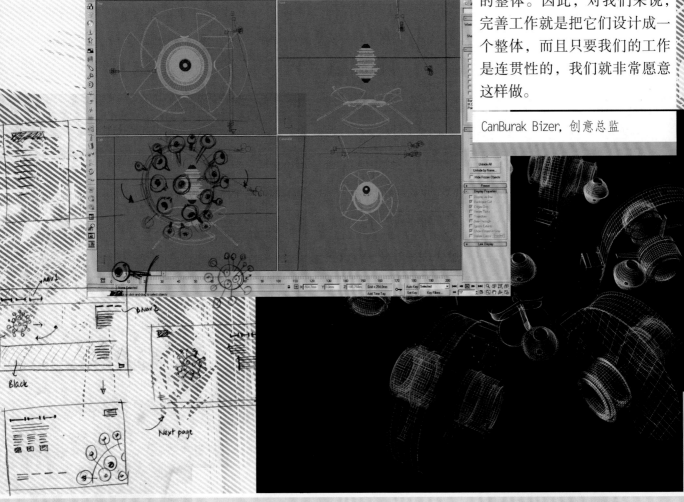

设计师们设计了很多种动态的、完全抽象的三维背景。网站采取三维形式才有可能表现出客户技术的成熟性。尤其重要的是要有丰富的色彩感。设计师们主要采用了冷色调。

新的草图同样是源自于对主题的研究，主要集中在HVAC的零件，如回转轴、风扇及螺旋桨上。设计师们想要设计出一种想象中的机器，来强化网站的前卫性；对色彩风格的表现主要

集中在有一点反光的、单色的塑料表面上。模型在屏幕上的表现过程表现出图形的复杂性。

第一步是用3D软件做出HVAC螺旋桨的模型，同时要考虑到色彩风格——表面应该是什么颜色的，如何反光。设计小组决定采用半反光的塑料或金属表面，并处理成单色。他们尝试了很多种着色方法，设计了几种相似的准备做成动画的模型。

当设计小组开始用动画设计软件进行设计时，他们同时把注意力转向了网站版式的设计上。跟早期的方案不同，这时采用了较深的颜色，与动画部分形成对比。设计小组

认为，螺旋桨的动画应该占据网站的一块，而其他部分应该包含着目录表。第一层页面的结构是水平的，只有文字在屏幕的右上方，鼠标的移动会使活动菜单变成导航栏。在导航区的下面，专门为一串参考项目设立了一个区域。

设计师们还设计了一个动画的线条系统，当转到链接时跟在光标后面；这些线条延伸开像树状的结构，围绕在链接旁，以显示更详细的信息。

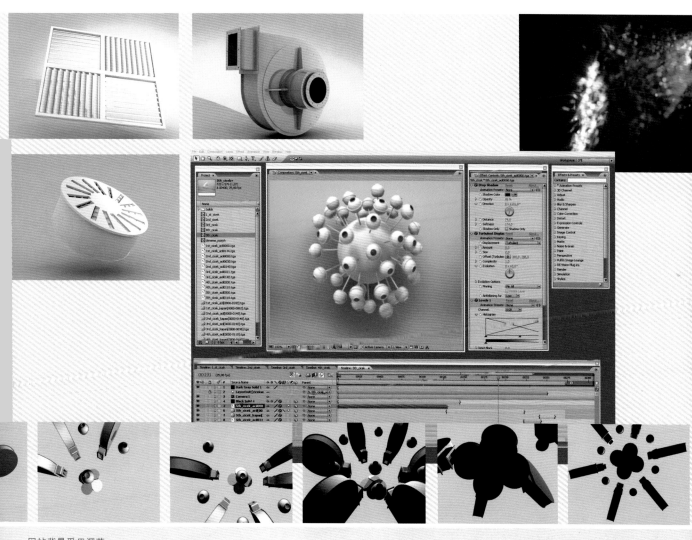

网站背景采用深蓝色，有一点灯光效果，与白色的机器形成对比。导航栏整齐地列在上方，下面直接是目录表。

在动画制作过程中，Bizer和他的团队还在寻找一种他们期望中的"特别的因素"。在用软件设计动画的艰苦过程中，他们终于找到了他们想要的。Bizer说，这就是"在空气中跳舞的颗粒。小颗粒的动画效果"。像雪一样的颗粒，被一阵看不见的寒风吹着，增强了他们期望的运动感和刺激性。

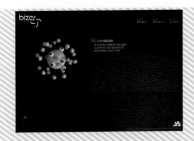

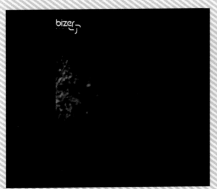
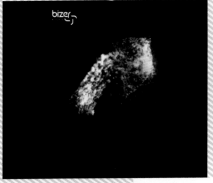

　　作为网站的最后一部分，当网页在导航栏之间转换时，设计师们设计了一团像雪一样的颗粒。当它穿过整个网页时，挡住了导航栏。所以设计师们在这些颗粒活动时，将屏幕设计得小一点，然后逐渐向外扩大。当鼠标移动出现一个链接时，动画效果的线条部分像一个指示符号。

"

　　用3D软件设计颗粒动画确实是一件麻烦的事。软件总是在颗粒数量增加的时候崩盘。所以我们决定将这个动画设计成二维的。

CanBurak Bizer，创意总监

ITAKDIM

BIZER, YATIRIMCILAR İÇİN,
YÜKSEK TEKNOLOJİ VE BİLGİ BİRİKİMİ ÜRÜNÜ,
DÜŞÜK İŞLETME MALİYETLİ, YÜKSEK VERİMLİ,
ISITMA, HAVALANDIRMA, İKLİMLENDİRME (HVAC) VE MEKANİK TESİSAT
SİSTEM ÇÖZÜMLERİ ÜRETEN MÜHENDİSLİK FİRMASIDIR.

PROJELER
TAMAMLANMIŞ PROJELERDEN SEÇMELER

IKONAKLAMA

PERA ROSE HOTEL, THE
YAŞMAK SULTAN HOTEL
ST. SOPHIA HOTEL
VILLA ZURICH HOTEL
ROMANS HOTEL
SENATOR HOTEL

CITADEL HOTEL
1997_

ISITMA, SOĞUTMA, HAVALANDIRMA, ŞIHHİ TESİSAT, YANGIN TESİSATI
PROJESİ VE UYGULAMASI

AIIIRKAPI, İSTANBUL

GRAND SAVUR HOTEL
MILPA TATIL KÖYÜ
TROYA HOTEL
ZURICH HOTEL
SEO HOTEL
PRESIDENT HOTEL, THE

次要的导航栏被设计成一个下拉菜单，用明亮的白框和深蓝色的文字表现，显得清晰、统一并且易读。而且，每次打开白框，图表都会轻微移动，从而产生运动感。

案例分析菜单在一个主要的导航栏最上部，由工业部门组成。在目录区，属于不同行业的案例分析列表通过扩大和收缩来管理信息量。随着这种扩大和收缩，

线条的运动与网页里其他元素的运动相协调。三维的机器旋转着跟随着光标的移动。

14

Beeline蜂蜜产品包装设计

Kym Abrams Design | 美国伊利诺伊芝加哥

老实说，这真是一个有创意的点子——由前重罪犯制作蜂蜜，然后把它卖给时尚的、上流的顾客们。但也正是这类想法使世界发生了改变，也使平面设计有事可做。这个案例是为Beeline设计商标。Beeline是一家蜂产品生产商，是North Lawndale职业网络（NLEN）的规划项目。NLEN是一家非营利组织，为芝加哥贫困人群创造职业机会。Kym Abrams Design领了任务，它是一家芝加哥老牌设计事务所，由Abrams领导，设计伙伴是Melissa De Pasquale。

"产品主要是以芝加哥的上层农夫为消费对象，" Abrams回忆说，"它要引起这些农夫客户们的注意。"

从蜜蜂的嗡嗡声出发
Getting a Little Buzz Going

设计过程的最开始是为产品命名，设计师们把名称列出来以找到具体的创意方案。像FreeBee（自由蜜蜂），简单、人性化而且聪明，和蜂产品的制作者前重罪犯有关。Beeline（捷径）因其有很强的隐喻性而脱颖而出。

最初的草图设计过程是用手完成的，进行了好几种尝试，像蜂窝和蜜蜂的图标，还有文字创意。图标的简单性反映了产品名称的直接性。线条抽象地画出了蜜蜂的飞行路线。

Abrams和DePasquale从最基础的工作开始——为这个项目命名。这对许多设计师来说都是很少有的工作。名称简单而人性化这一点很重要，但两位设计师更感兴趣的是使这个名字讲述项目的背景，并且具有保留价值。"我们觉得名称和商标都应该有一种新鲜而鲜明的都市感。"DePasquale仔细地说明着。

他们想出了一系列简短而有趣的名字，从聪明的——FreeBee（自由蜂），Worker bee（工蜂），believe（相信），到傻乎乎的

——Honey, I got a job（亲爱的，我找到工作了）。最后他们终于选定了Beeline（捷径），因为按照Abrams的说法，它表示了产品的目标："直奔有报酬的工作"。一旦名称确定，就开始进入画草图阶段。

两位设计师进行了很多种尝试，从说明性的和图标的蜜蜂，到全部用文字。一些文字性的创意到后来合并成最终的方案，包括线条与字母或蜜蜂图标的结合。甚至在从用铅笔到电脑设计之前，Abrams和DePasquale就混合和搭配了好几种不同的方案。

　　正是从一开始，标志就主要采用黑白两色。这表现在我们早期的草图中，并且贯穿了设计的全过程。

Melissa DePasquale，设计师

　　精细的电脑绘图是在粗略的手绘草图基础上形成的。甚至在这一阶段，都极少描绘到细节和色彩。笔画粗细统一的灯芯字体因其上下粗细一致、呈流线型而被采用。设计师还设计出一些文字与线条简单组合的方案，把重点放在文字本身的含义上。

其中有斑纹的小写字母"b"非常引人注目，因为只简单地加上黄色斑纹，它就既可以代表字母"B"，又代表蜜蜂（bee），以及一张真实的蜜蜂图片。在另一个文字标志里，一条虚线代替了字母"I"，也同样表示蜜蜂身上的斑纹。

这些草图都有相似的特点，为了照顾图标的简洁性、有限的色彩和灯芯字体风格，而没有采用真实的图片。"Beeline为芝加哥的前重犯们创造了工作机会，" DePasquale反复说，"设计中的所有元素都试图真实地反映这一点。"

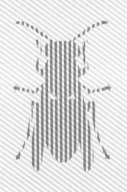

在这个设计阶段中，还有一个有很强吸引力的创意是蜜蜂的图标。设计师们将各类符号与图案相互作用，如把可以看作是监狱铁栅的条形码、较简单的线条与字母相互作用。一个圆形飞行图案的创意经过细化后与蜜蜂的轮廓，和用两种颜色表示的、采用灯芯字体的词结合起来。跟其他草图一样，这幅草图中，醒目的线条与大块的形状始终形成对比，从而在简单的结构中增强丰富性。

最终这三个方案都提交给了客户，每一种都用最少的形式表达了极其不同的信息。最上面的方案中，"Beeline"是虚线手写体，显得个性化而容易被接受；随意的手绘线代表蜜蜂飞行的路线或搜寻的路线。第二个有斑纹的小写字母"b"被压缩后来表现，强化了它的直线性，干净而简单。第三个创意运用了具体的图形来表现，文字与图形相互呼应。

客户是非营利组织，意味着没有预算费用，这也和总体的设计思路相吻合。"客户在印刷方面没有很大的预算费用，所以只用黑白两色正好符合我们想要的时尚感和都市感。"她接着说。

尽管Abrams和她的团队一般是向客户提交两到三个方案，但在这个案例中，他们对四个方案都很满意，于是把它们都提交给了客户。"我们想把设计的具体应用效果表现出来，所以我们找到了蜂蜜瓶和润唇膏的罐来表现我们设计的标志。"于是，客户没有

提出任何改动的要求就同意了她们的设计。Abrams和DePasquale很快就把这些设计应用到各种形式中，在瓶子的黑色标签上，用衬线字体表现次要的信息。这个瓶子是圆柱形，很时尚，也正好补充了标志简单的线条形式的不足。Abrams和DePasquale，包括她们的客户，都极其高兴。"在第一个销售季节，Beeline在几个市场上都销售一空。由于它所取得的成功，又创造了很多新的工作机会。大家都感到非常开心。"

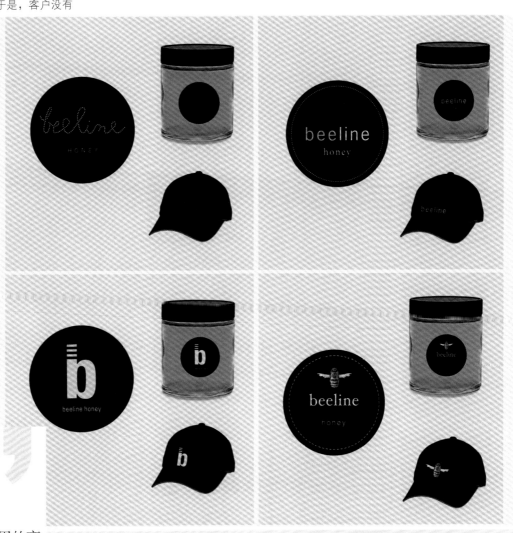

对这个没有预算费用的商标设计来说，设计和广告撰写都是靠捐赠款支付的，而且要找一个低成本的印刷厂。只采用黑色和一种潘通（Pantone）色也使费用大幅降低。

Kym Abrams，负责人

设计师对第二个方案进行了细微的调整，如大小、间距及字体选择。修改后的方案设计在棒球帽和瓶子上，表现了标志新颖的适用性。

上图右边是第四个方案。与其他创意相比，这个设计更为精致。与原有的草图相比，没有蜜蜂图标，文字的对比度降低，但更直接、更明确地表明了产品的内容。

beeline
body bar

fillmore apiary
chicago raised, chemical free

- - - - -

a project of the north lawndale
employment network

- - - - -

3726 west flournoy
chicago illinois 60624
www.nlen.org

beeline
honey

12 oz

a unique body moisturizer
massage directly onto dry skin

- - - - -

ingredients
chemical free beeswax
organic vegetable shortening
organic sweet almond oil
organic cocoa butter

- - - - -

a project of the north lawndale
employment network

- - - - -

3726 west flournoy
chicago illinois 60624
www.nlen.org

the buzz

beeline
honey

1 lb

beeline
honey scrub

beeline
lip balm

beeline
body bar

　　最终的标签设计以衬线字体为辅助，与标志文字的一致性形成对比。标志中的"bee"用了黄色。标签上成分表和其他信息的字体跟标志文字一样，也采用灯芯体。

　　圆柱形的瓶子和深色的罐子，与统一粗细的笔画及文字的线条细节完美搭配。

　　虚线的频率和间距进行了少许调整。稍微拉长虚线并且拉大虚线的间距所产生的效果跟之前的设计相比，线条的方向感更强。

15

政治运动

Un mundo féliz: Gabriel Martínez, Sonia Díaz, Galfano Carboni, Fernando Palmeiro, Javier Garcia, Ignacio Buenhombre | 西班牙马德里

不再有关塔那摩！
No More Gitmo!

普通公众——事实上，包括许多平面设计师——都认为，时尚设计师或美学家们是在大公司工作，或者是推广时装、音乐、食品、时尚及艺术的人。但他们都忘了，这份工作的实质就是沟通。平面设计就是代表公众的兴趣走上街头传播信息。这次的招贴活动就是要引起公众对一个不受欢迎的而且敏感的问题的关注，尤其是在美国，从而抨击在古巴关塔那摩军事基地羁押囚犯的行为，号召公众强烈抗议侵犯人权。

这五个设计师一起不停地收集资料，如图标、符号、字符、超码，以便以此为基础迅速展开设计。这些图像包含了被普遍理解的内容，像骷髅和手；能辨认出来的人物，如希特勒、切·格瓦拉；还有一些元素，如刀、雷雨云、昆虫、宗教符号，等等。

客户是非营利组织，意味着没有预算费用，这也和总体的设计思路相吻合。"客户在印刷方面没有很大的预算费用，所以只用黑白两色正好符合我们想要的时尚感和都市感。"她接着说。

尽管Abrams和她的团队一般是向客户提交两到三个方案，但在这个案例中，她们对四个方案都很满意，于是把它们都提交给了客户。"我们想把设计的具体应用效果表现出来，所以我们找到了蜂蜜瓶和润唇膏的罐来表现我们设计的标志。"于是，客户没有

提出任何改动的要求就同意了她们的设计。Abrams和DePasquale很快就把这些设计应用到各种形式中，在瓶子的黑色标签上，用衬线字体表现次要的信息。这个瓶子是圆柱形，很时尚，也正好补充了标志简单的线条形式的不足。Abrams和DePasquale，包括她们的客户，都极其高兴。"在第一个销售季节，Beeline在几个市场上都销售一空。由于它所取得的成功，又创造了很多新的工作机会。大家都感到非常开心。"

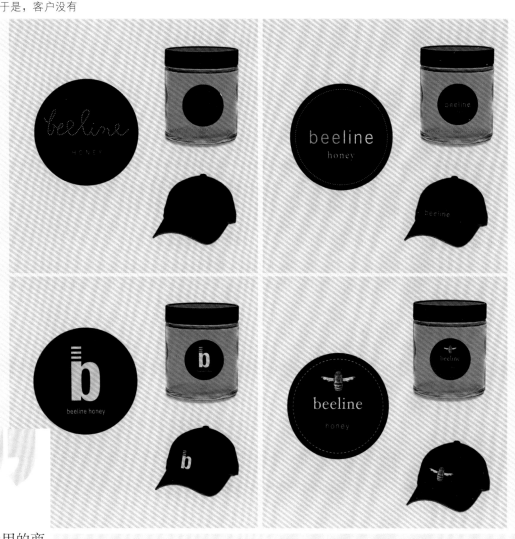

对这个没有预算费用的商标设计来说，设计和广告撰写都是靠捐赠款支付的，而且要找一个低成本的印刷厂。只采用黑色和一种潘通（Pantone）色也使费用大幅降低。

Kym Abrams，负责人

设计师对第二个方案进行了细微的调整，如大小、间距及字体选择。修改后的方案设计在棒球帽和瓶子上，表现了标志新颖的适用性。

上图右边是第四个方案。与其他创意相比，这个设计更为精致。与原有的草图相比，没有蜜蜂图标，文字的对比度降低，但更直接、更明确地表明了产品的内容。

这的确是一个特别的项目。Beeline的所有产品都是百分之百天然的，也为前重罪犯创造了就业机会。

Kym Abrams，负责人

beeline
body bar

fillmore apiary
chicago raised, chemical free

- - - - -

a project of the north lawndale
employment network

- - - - -

3726 west flournoy
chicago illinois 60624
www.nlen.org

beeline
honey

12 oz

a unique body moisturizer
massage directly onto dry skin

- - - - -

ingredients
chemical free beeswax
organic vegetable shortening
organic sweet almond oil
organic cocoa butter

- - - - -

a project of the north lawndale
employment network

- - - - -

3726 west flournoy
chicago illinois 60624
www.nlen.org

the buzz

beeline
honey

1 lb

beeline
honey scrub

beeline
lip balm

beeline
body bar

　　最终的标签设计以
衬线字体为辅助，与标
志文字的一致性形成对
比。标志中的"bee"用
了黄色。标签上成分表
和其他信息的字体跟标
志文字一样，也采用灯
芯体。

　　圆柱形的瓶子和深
色的罐子，与统一粗细
的笔画及文字的线条细
节完美搭配。

　　虚线的频率和间距
进行了少许调整。稍微
拉长虚线并且拉大虚线
的间距所产生的效果跟
之前的设计相比，线条
的方向感更强。

政治运动

Un mundo féliz: Gabriel Martínez, Sonia Díaz, Galfano Carboni, Fernando Palmeiro, Javier Garcia, Ignacio Buenhombre | 西班牙马德里

不再有关塔那摩！
No More Gitmo!

普通公众——事实上，包括许多平面设计师——都认为，时尚设计师或美学家们是在大公司工作，或者是推广时装、音乐、食品、时尚及艺术的人。但他们都忘了，这份工作的实质就是沟通。平面设计就是代表公众的兴趣走上街头传播信息。这次的招贴活动就是要引起公众对一个不受欢迎的而且敏感的问题的关注，尤其是在美国，从而抨击在古巴关塔那摩军事基地羁押囚犯的行为，号召公众强烈抗议侵犯人权。

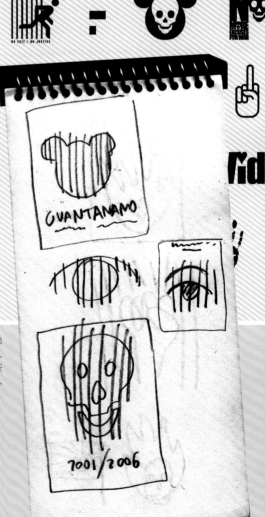

这五个设计师一起不停地收集资料，如图标、符号、字符、超码，以便以此为基础迅速展开设计。这些图像包含了被普遍理解的内容，像骷髅和手；能辨认出来的人物，如希特勒、切·格瓦拉；还有一些元素，如刀、雷雨云、昆虫、宗教符号，等等。

这个项目跟Un mundo féliz（UMF）设计的其他项目类似。Un mundo féliz是一个位于西班牙马德里的平面设计师集体，刚刚开始认识到政治运动和社会问题。Gabriel Martínez和Sonia Díaz是负责人。这个松散的设计师协会以他们特别的绘画技巧为武器，为社会正义而战斗。

这个项目由一个巴塞罗那推广代理机构Fundación Signes发起。UMF从他们不断收集及更新的图片开始着手设计。

手绘草图确立了这个项目的基调。那些线好像有一种几乎疯狂的能量。这些精选出来的符号能够被迅速理解：骷髅、火焰、有力的拳头、心脏、监狱铁栅、眼睛，以及一个卡通老鼠。把两个图标结合起来就能产生较复杂的创意——把眼睛和竖线重叠起来，不是简单地表示监禁，而是表示宣传、假情报以及新闻检查制度。

我们想尽我们作为设计师的力量，吸引公众去关注公共及社会问题，同时表达出我们的观点。

Sonia Díaz，合伙人

我们试图保持清醒和客
观，但有时我们工作的速度使
我们很难百分之百地控制我们
的设计。

Fernando Palmeiro，设计师

上图这些手和心结合的图形放在一起进行比较，能够看出哪种形式表达得最直接、最深刻，哪些最不能传达信息。手的轮廓和实心的图标，加上手指图形，表示"停止"；张开的手很明白地表明"抓"或"够"；侧伸的手好像是想把"心脏"作为礼物；有粗糙纹理的手掌印好像是表示疼痛，但手放松的样子又显得不那么严重；手印上的纹理比较粗糙，断裂开，让人感觉到威胁；脆弱的白色心脏倒放在手掌里，暗示在斗争中的希望。

眼睛图像的照片和抽象的图片之间的对比非常有意思。照片中的眼睛像是眼神轻松平静或者说正在凝目注视，而眼睛的图标看上去好像具有攻击性或表示了惊奇。虽然最后眼睛的照片用处更大，但设计师们还是在之前草图的基础上，对图标形式进行了更全面的研究。在下面一组图片中，眼睛与竖线结合，并被竖线打断。眼睛上的线可以看作是面纱或其他障碍；少一点的线则很容易被认为是监狱的铁栅。

这些图片都是非常简单的图标和文字，可以重新排列、改变、组合，也可以整齐地添加，产生一些更复杂的、概念性的设计。这些图片的直观性以及图形与基底强烈的对比使它们具有视觉冲击力和清晰的含义。

设计师团队设计了一系列刺激性的文字，开始和图片结合起来。一些词语，如"天堂里的噩梦"和"表达违法的图标"表达了更复杂的比喻；而监禁、持有不同政见也用非常明确、甚至老套的方法来表达——监狱铁栅、眼睛、举起来的拳头，等等。

设计师们对图片与文字的组合研究了五天，刚开始是用铅笔画，然后直接跳到用电脑绘图软件画。出于对视觉冲击力以及预算的考虑，色彩运用强烈对比，并减到最少：只用黑、白、红三色。他们边设计边修改，最后确定了五个图案，随后就应用在不同的媒材上，并全球免费发行——像招贴、明信片，也可以在网络上下载。

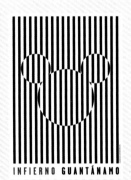
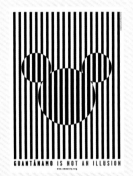
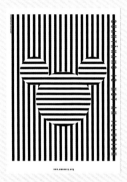
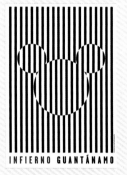
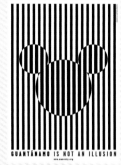

插图给了我们更多绘画性的资料，但许多时候，我们还是从照片开始的。

Gabriel Martínez，合伙人

设计师们试着在每张卡片上都运用不同的图片组合。运用前面对眼睛图片的处理方式，设计师用骷髅和米奇的卡通形象来表达监狱铁栅和视觉上的线条效果。在这一系列的设计中，设计师尝试着把线条放在米奇形象里和放在外面的不同效果。根据方向和密度的不同，线条有着看上去像监狱的铁栅或者其他千变万化的效果，图标变得模糊不清。

另外一组图片是对骷髅标志进行了改变，其中也有监狱铁栅这样的元素。喷溅的液体让人想起血，暗示了暴力和死亡。改变眼睛的形状，在下面加上一滴眼泪，把鼻孔换成心形，表示苦难；在骷髅表面加上一点纹理效果，暗指虐待或肮脏；在骷髅上罩上头巾，让人想起恐怖的死神，但也好像有一点魅力，可能是有玩游戏的创意在里面。

GUANTÁNAMO / END TORTURE NOW

SOONER OR LATER THERE WILL BE A NEED TO CLOSE GUANTÁNAMO. HOPEFULLY AS SOON AS POSSIBLE

TARDE O TEMPRANO EXISTIRÁ LA NECESIDAD DE CERRAR GUANTÁNAMO. ESPERAMOS QUE SEA LO ANTES POSIBLE

所有完成了的五个设计都把图片放在中心，在版式中间呈对称性。设计师巧妙地避免了静态效果。静态效果的产生一般和因仔细量裁设计元素而产生的对称性有关。因此图片相对整个版式来说足够大：比如说老鼠的耳朵

在左右边距形成了张力；眼睛照片的外部区域边缘的模糊和垂直线的清晰形成对比；手指的图标也具有同样的功能。设计师改变了图片与文字之间的空间，从而使对称效果更明显。

尽管图片内容完全不同，但都采用压缩了的衬线字体，使整个设计系列保持了一致性。在有监狱铁栅的图片里，文字效果与垂直线所产生的强烈的线条感相互呼应。在手和骷髅的海报里，文字与图片原有的肌理和不规律性形成有节奏的对比。

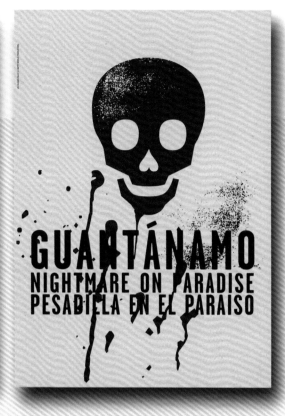

GUANTÁNAMO
AN ICON OF LAWLESSNESS / UN SÍMBOLO DE INJUSTICIA

GUANTÁNAMO
NIGHTMARE ON PARADISE
PESADILLA EN EL PARAISO

THE OPPOSITE OF COMPASSION IS NOT HATRED. IT'S INDIFFERENCE

LO OPUESTO A LA COMPASIÓN NO ES EL ODIO SINO
LA INDIFERENCIA

HUMAN RIGHTS WATCH / hrw.org

GUANTÁNAMOISNOTANILLUSION
www.amnesty.org

16

Tartini音乐学院标志
Leonardo Sonnoli/ Tassinari Vetta | 意大利里米尼和的里雅斯特

抽象的形式和文字常常与音乐这种流动的系统作比较。准确地说，这是因为它们共同的特征——在形式上的流动性和有机的、系统性的逻辑。所以也就不奇怪，当设计师要为音乐学院的设计寻找一种视觉语言时，可能会对那些可以无限组合的文字符号感兴趣了。

Leonardo Sonnoli为位于意大利的里雅斯特的Tartini音乐学院（Conservatorio di Musica Giuseppe Tartini）作设计正是采用了这种方法，对熟悉他工作的人来说，这也丝毫不足为奇。学校邀请了Sonnoli和他在Tassinari Vetta事务所的合作伙伴，这家事务所位于里雅斯特和里米尼。学校的目的是通过设计新的标志，激发大家的兴趣，并且提高新生入学率。

音乐的无尽排列
The Endless Permutation of Music

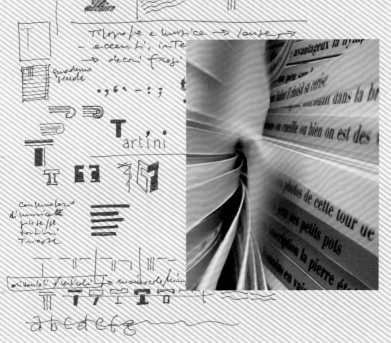

在记下并思考了客户的要求后，Sonnoli没有像他通常所做的那样，用手绘草图，而是用绘图软件开始进行设计。他被瑞士设计先驱Karl Gerstner以系统性为基础的标志设计所吸引，

他改变观念，转向在统一性的原则下进行设计的观念。这一点也如同一本法国诗集所能证实的那样：一行一行的，切割印刷。Sonnli几乎完全改变。Sonnoli认为这种创意很适合合作与音

乐有关的设计。于是他开始尝试设计了一系列符号，这些符号都能重新组合成一种可变化的标志。公司标志设计的传统观念是对标志形式的纯粹重复。而Sonnoli的这种方法不同的是，

要依靠标志各个部分的可辨认性，及组织这些成分的可靠逻辑。只要观众看到同类的元素，以相同的方法彼此关联，并与传统的标志比较时，立刻就能认出并回想起来。

Sonnoli有为文化机构设计标志的丰富经验，他的合伙人Paolo Tassinari也是如此。所以对这个项目他们甚至没有画很多草图，就立刻开始着手设计。虽然Sonnoli通常都是从铅笔画草图开始，但在这个项目中，开始时他是在被他称之为"又简单又差的图片"旁做了一些记录，以反映存在的问题和情况。

这些记录和"差的图片"是从Sonnoli处理抽象要素和文字的惯常做法而来，是基于他对现代派的尊敬，和他对设计界和其他人文领域的思想者的认可而来的。

瑞士设计师Karl Gerstner的前卫作品在其著作《设计规划》中有例证。对Sonnoli来说，它是非常有用的参考，尤其是在Tartini音乐学院这个项目刚开始，对他的思想有着特别的影响。此外，Sonnoli保存有丰富的资料，可以帮助他在更深的层次上作出完美的设计来。

在思考音乐、视觉语言和印刷文字时，Sonnoli翻阅了法国印刷商、诗人及作家Robert Massin的一些作品，不仅发现了Massin另类的、无法确定的印刷方法，还发现了作家及诗人Raymond Queneau的特别作品。

"forma" della musica -
onde sonore

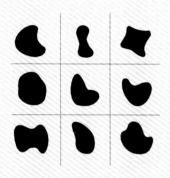

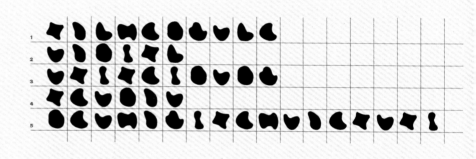

上图这些草图表现出设计思路的发展进程。第一组的特点是在形状上的变化，这些变化可能是太难了，以至于无法回想起来。而且缺乏线性特点也使这一组设计较为薄弱。在下一个排列中，这些形状都属于同一类型，并且用网格组织起来，但对随之而来的主题来说，没有增加什么意义。随后，造型设计得更具线性、有色彩，并简化成五行的结构，以与音乐要素产生联系。造型又进行了进一步的改进，使人想起"音乐"这个词的字母。另外一组设计尝试着运用几何形、方形和点状的造型，看上去好像玩具或迷宫，也许在造型上过于孩子气了。

他的著作书名是《十万亿首诗》（1961年），书里有10首14行诗，每一行都印刷成分开的条形——像一个有头、有身体、有腿的书。这10首诗都有相同的节奏体系和相同的语音节奏，因此任何一首诗的任何一行都可以跟其他诗的任何一行结合起来——这样就可能会有10¹⁴首诗。一个人即使不停地读20亿年，也不会有重复。

Sonnoli认识到这种概念跟音乐很相似——相同的7个音符无需重复地重新结合和排序，会产生无穷的变化。在接下来的一周里，他设计出了若干抽象的、不定型的形式，作为一种可随意调整的视觉语言的基础。这些形式按照音乐的五线谱分成5行，每行的数目以及以何种顺序排列都是灵活的。这种形式就成为Sonnoli标志设计的参考。可能他觉得原来的方案不够严格，或者装饰性太强，因此在把这个方案提交客户之前，他决定用具体的文字代替抽象的形式来表现这个创意。Sonnoli将5个不同粗细的字母"T"用不同的灯芯字体来表现，并按他最初采用的规律进行排列。

他把这两个方案都呈交给客户，还提交了常见的以色彩和照片为背景的文字创意。

1 Lorem ipsum dolor sit amet

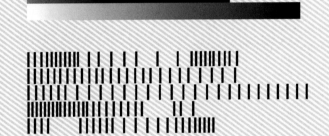

tartini font

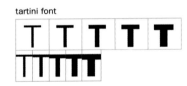

identità visiva
per il **conservatorio
giuseppe tartini**

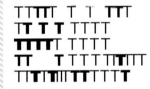

Conservatorio
statale
di musica
Giuseppe

Tartini

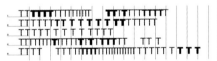

把文字拆开放在线下面，仅改变间距，不仅可以表现文字的简单程度，还能表明节奏的重要性。把线换成一个字母——学院董事的首字母"T"——就有了具体的含义。改变字母的粗细，大大增强了空间的节奏感。

客户接受了这个方案后，设计师对标志的结构进行了完善。作为附属元素，又加上了客户的全名，以相同字号的、醒目的灯芯体表现。文字间的明暗变化产生了一种内部的层次。较亮的字也较为重要。

经过讨论，Sonnoli和客户决定采用以具体的文字作为标志的方案，而放弃了抽象的形式。主要原因是Sonnoli自己又发展了这个创意，使之更严格、更基本。运用字母"T"这个设计元素，能直接跟Tartini的名字联系起来。客户对此方案没有提出改动。"如果客户要求改变的话，我宁可从零开始……没有折中方案。"Sonnoli说。在为印刷和招贴设计网格的短暂期间里，按照方案基本的简洁性，Sonnoli没有使用任何图片，而只是靠简单的色彩实现改变——一种中等明度的色调，能表现出黑色，并在不影响可读性的前提下，文字采用反白处理。

这样做的好处是尽管缺少主色调，也能保持连续性，因为所有的材料都以两色印刷，也降低了成本。

我想要一种有动感的标志，简单而且可以广泛应用。像音乐五线谱一样，有五条线，就是一种文字性的音乐。它因实用性不同而进行改变。就像音乐，总是在进行，总是在改变。

Leonardo Sonnoli，合伙人

在下一阶段的设计中，Sonnoli尝试着把图片作为一种辅助的设计方式，运用到广告、招贴及音乐会节目单中。有控制地使用色彩，将黑色和白色混合成为辅助色彩，主要是从经济角度考虑。

上图中的图片有一种愉悦的运动感。运用文字元素的安排，与这种构成的运动相互呼应。

Nat King Stravinskij

Il mondo della musica
ti offre più di una professione.

Vieni in un conservatorio
di respiro europeo
che vanta cento anni di esperienza
l'insegnamento di tutti gli strumenti
nuovi linguaggi musicali
video e musica informatica
l'esperienza dell'orchestra
borse di studio per l'estero
competenza ed entusiasmo.

Vieni a Trieste.

corsi inferiori
corsi triennali superiori
accessi per età differenziate
iscrizioni dall'1 al 30.4.2004

biennio di specializzazione
iscrizioni entro il 20.9.2004

Conservatorio Giuseppe Tartini
via Ghega 12, 34132 Trieste
tel 040 6724911 fax 040 370265

www.conservatorio.trieste.it

Conservatorio
statale
di musica
Giuseppe
Tartini

segreteria.didattica@conservatorio.trieste.it
segreteria.artistica@conservatorio.trieste.it
segreteria.amministrativa@conservatorio.trieste.it
biblioteca@conservatorio.trieste.it
www.conservatorio.trieste.it

Conservatorio
statale
di musica
Giuseppe
Tartini

Via Ghega 12
I - 34132
Trieste
t. +39 040 6724911
f. +39 040 370265

信纸上的文字结构
简单，文字的位置用以
激活版式四周的空间。
名片和信封在尺寸和各
个元素的位置关系都作
了精心安排。

海报采用了巨大的
字号，以及大量的空间。
清晰排列的结构和字号
的改变表现了主次和明
确的比例关系，有助于
表现海报简单的动感和
文字色彩。

Johann Sebastian Berio

最终，设计师放弃了使用图片。标志里文字的节奏感，与大号的文字和色彩关系一起都被认为是必须的。在上图一系列节目单封面设计中，水平的标志文字与标题文字非常清晰。文字与背景色彩对比的变化创设出变化和很强的空间深度。

17

Sloan–Ketterling 纪念癌症中心 2005 年
年度报告
Ideas On Purpose ｜ 美国纽约

基因中的设计灵感
Good Design Is
In Its Genes

"幸运500"公司的年度报告趋向于用数据说话，然而许多医疗机构却需要更人性化的年度报告。因此，相对于商业数据，这类年度报告的叙事部分在扩大影响和招募资金时就显得格外重要。而事实上，这些正是本年度报告的目的，同时也是Sloan–Ketterling纪念癌症中心雇佣同样位于纽约的Ideas On Purpose(IOP)设计公司进行设计的原因。对于IOP公司而言，年度报告中的叙事部分是整个设计的关键所在——他们在该设计的编辑上煞费苦心。IOP公司的主管Darren Namaye, Michelle Marks, 以及John Connolly在整个设计过程中始终遵循这一原则。这一注重相互协作及反复阐明的方法最终造就这个充满灵感的有深度的作品。

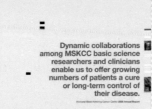

封面设计的两份初稿分别体现他们各自包含的概念。内含"everyday"字样的封面展示了一张毫不造作的，几乎类似于新闻图片的照片。照片的剪切和轻度的模糊显示着它的直接和真实。

另一备选封面内含一些很小的图像，它们与DNA语言相结合。在这个设计中，设计师用一整段从医院宗旨中摘录的文字取代了传统的大标题。

> 我们努力去叙述一个完整的故事而不是简单设计一个传统的封面。我们认为故事本身就是设计的一部分。

John Connolly, 公司合伙人

Connolly道出了IOP公司设计年度报告的方法。由于其必要性，IOP公司已经通过实践把这一方法流程化了。"首先，我们发展文字概念。"他说。同时他强调IOP公司的设计师相信以陈述部分为重点对该年度报告进行设计，将会取得很好的效果。"然后，我们相对宽松地定出陈述部分想要表达的想法。在此基础上，整个设计过程从铅笔素描开始。从而我们构思与叙述部分相关联的具体概念。基于那些素描草稿，设计师制作出完整尺寸的设计图。" IOP公司通常都会向他们的客户展示三种设计理念，这一次却是例外。在本设计中，设计师发展了两个概念。这一年度报告的文字概念源于设计师从医院宗旨得到的启发，以及一个他们需要重点陈述的故事——一个关于一名新的研究员，他的研究团队以及他的DNA分析工作的故事。设计师们同时还意识到年度报告的内容要兼顾医院的病患护理、研究及教学方面——这在一定程度上是由于医院潜在的内部政治反响，但更多的是因为医院希望年度报告能尽可能完整地体现医院宗旨的三个方面。

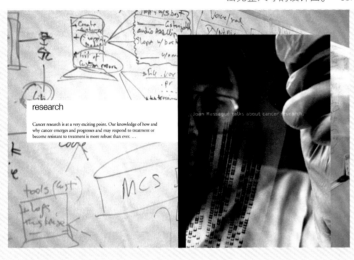

经过与客户的初次讨论之后，IOP公司定出了两套制作方案。二者都受到医院宗旨的启发，并采用了其中某些元素。 同时，两种方案都把医院的病患护理、研究及教学三方面作为宣传的重点。方案一是一段关于医院员工及研究人员努力工作，病人力求战胜癌症的描述。

每一章的开头都是一张出血尺寸的照片，内含一个说明主题的小页面。每一章的小页面都经过不同的处理。例如，在"研究"章节，小页面就被处理成方格纸触感，从而显得更有科学的感觉。而在"病患护理"章节，小页面则被设计成一幅黑白的肖像画外加一些相对较暖的颜色，来引入病人自己的故事。

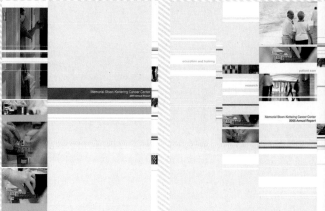

在设计公司提出的两个概念中，直接基于医院宗旨的方案脱颖而出，成为最能涵括医院各项理念的方案。这个方案经过进一步的改进，融入了设计师受DNA序列启发而形成的概念。"我们运用垂直条形图案和文字作为该图像的参照物。在这个基本构架之内，我们注入了尽可能多的比例上的变化，从而使整个设计显得充满能量。"Connolly注意到这一正式的想法跟叙述部分有着更直接的联系。

第二种方案也以类似的方式组织叙述部分的内容。但叙述的内容与医院宗旨之间的联系更为紧密。这套方案还采用了一组整体视觉语言，这是源于设计师参观实验室时见到DNA图所受到的启发。

设计师把这些图像抽象为一系列颜色浓度和长度不同的线，并让这些线有韵律地横跨全页。稍窄的柱形文本延续了这种在垂直方向的运动。

选定概念的设计变化都很细微。大多数时候这种变化是关于编辑及图片创作题材的修订。一个基本的改变是把柱形文本和插图编号自由排列，从而更显著地反应图中的DNA语言。

设计师运用一精确的14列网格，改变列宽，把其中元素上下移动来凸显页面中的韵律。这种连续的运动意在为该报告注入一种充满活力的元素。

在本设计中，结构关系却更间接。这种结构关系源自与故事某方面相关的图片提示。设计中速率及材料的分页方式被运用到与医院公关小组的合作中。公关小组负责评论材料的拼写，IOP公司则负责决定将以什么样的方式展示这些材料。"我在故事的周围用布满整个封面的图片进行装饰，"Connolly说，"进而我们使用布满整页的图片并在摄影时调整人像的比例。"

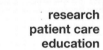

一组三层结构的医院宗旨文本取代原本的封面文字，与其中的三部分陈述相对应。

在该报告的扉页和内容目录中，线性语言发挥了非常好的效果。根据安排上的相同点，设计师把图像和字体与线条融为一体。

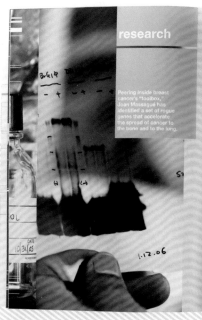

章节的开篇页为蓝绿色，宽分栏，交叠一幅从上而下出血尺寸的图片。这种处理把开篇页和相应的文字页区分开来，并明确显示描述的内容即将发生改变。

由始至终设计师Helvetica只使用了一种灯芯体（sans serif）字体，并通过改变其大小和颜色的浓淡程度保持了视觉效果的延续性。与此同时，这种处理还保证了读者能关注内容而不被鲜活的印刷分散注意力。Helvetica所采用的字体比sans serif系列中的其他字体（如Univers）更全面，运用于这段文字也显得更自然。

摄影是陈述性设计方案的组成部分，而由于该报告要讲述一个关于人的故事，摄影就格外重要。IOP公司雇用了一些摄影师，并对他们进行艺术指导。按照Connolly的想法："这部分摄影作品的目的是要制作真实生活的影像，从而使故事更能触动人心。我们应该跟每个摄影对象相处半天到一天，完整地了解他们，再用相机把他们记录下来。"设计人员和医院公关组成员一起浏览了上千幅照片，并合作完成最后的选择工作。

"在完成摄影之后，我们发现垂直条形在实际运用中有些困难，"Connolly做着苦脸说，"我们很难让拍摄的'对象'看起来不是被迫参与到我们的设计中来。"IOP公司的设计师借助页面的垂直性，以运动的方式运用网格。源于一个较紧凑的主网格，不同的分栏宽度被结合起来并进一步划分。这样的灵活性让设计师能重新对一些章节进行设计，从而使图片内容能与页面内容的限制相协调。

Helvetica能使小字体及复合文本（如"经济篇"）显得清晰，是因为他运用了巨大的X坐标和最理想的间隔。

设计师选择较冷的蓝绿色暗指医院的内部环境，再配以反差较大的黄褐色构成一种出人意料的协调效果。这两种颜色是近似互补的。

18

Scheufelen纸业公司的促销台历

Strichpunkt ｜ 德国斯图加特

自由做自己……
自由地造纸

Free to Be
You and Me...
and Paper

纸业推广通常比较有趣，但这类作品通常不具有很强的文学性和概念性。Scheufelen纸业公司有着特立独行的企业精神，在此基础上，德国Strichpunkt设计公司为他们制作了这一颇具文学性和概念性的台历。在展示一些顶级纸张的各项性能的同时，设计师设计了一本能让人们感受到自由与独立的传记——生而不朽。这本生命之书用许多照片和文字阐释了生命不同的阶段。同时这还是一本神奇的日历。只要你愿意，这日历可以从任何一天开始，因为你可以用它附带的贴贴纸来改变日期和标明重要的庆典。

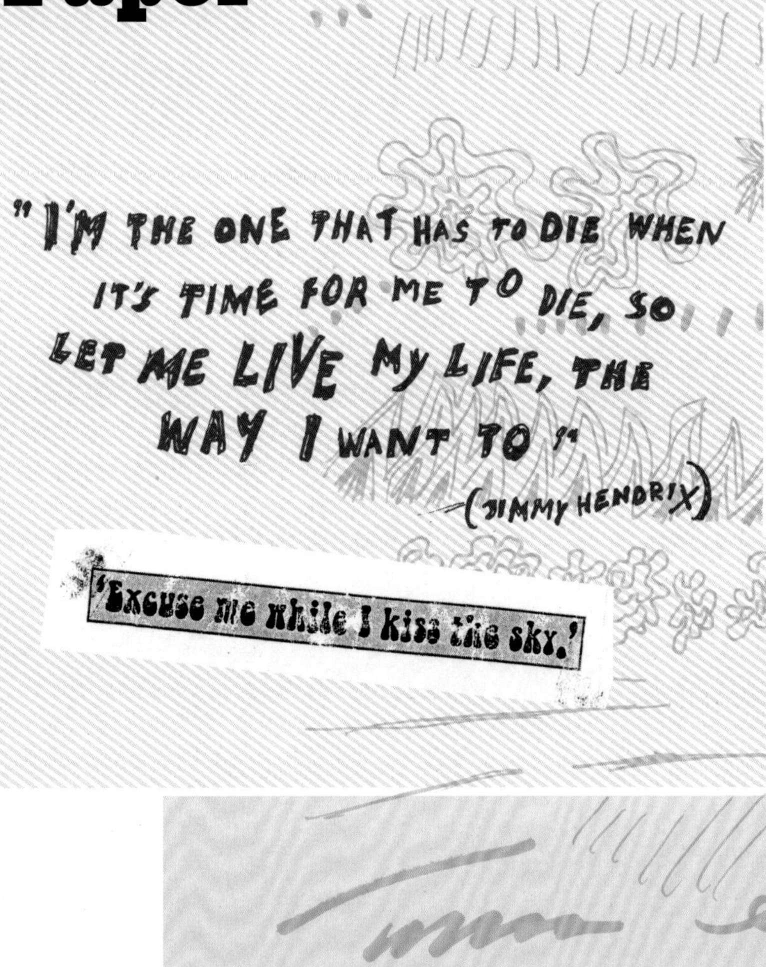

"I'M THE ONE THAT HAS TO DIE WHEN IT'S TIME FOR ME TO DIE, SO LET ME LIVE MY LIFE, THE WAY I WANT TO"

(JIMMY HENDRIX)

'Excuse me while I kiss the sky.'

目标受众是设计师考虑的重点之一。 Strichpunkt 公司的创作主管 Jochen Rädeker半开玩笑半认真地说："实际上我们是要为类似于我们自己这样的人设计这本日历。这听起来容易，其实不然，因为在这种情况下设计师更难作出客观的判断。"设计师们几乎每天都要讨论设计方案，因为这不仅仅是一本日历，更是一件向市场传递Scheufelen公司核心理念的作品。由于公司创始人在1880年持有与当时法律相左的意见，独立性成为了Scheufelen公司最为珍视的核心理念。Strichpunkt公司的设计师要设计的远不只是一本纯粹的日历，他们用十二个章节完成了他们的设想。

1 Lorem ipsum dolor sit amet

那真是一个愉快的过程：首先构思（构思了很多很多！），然后产生一个明确的设计策略，再然后停止思考，开始感受，用最好的设计来表达客户和我们自己的心声。

Jochen Rädeker，创作主管

Be Premium
Be Special
Be Different
Be Independent

设计师通过笔记、图片研究和绘画找出能表现"独立性"的文字和图片。20世纪70年代摇滚明星Janis Jopln 和Jimi Hendrix的图标，与手绘的装饰和图片相融合。这些手绘的图片都和朋克的题材有关。

日历中的口号都在传递着那种愤怒而独立的精神，让人觉得直接而真实。设计师从保险杠贴标、广告及短生植物中获得灵感，在这个作品中融入了不同的印刷风格。

日历的设计团队以激光印刷彩页的形式创作了一个体现进化概念的初期版本。第一页中的冲切口代表着宝宝出生时看到的世界。

设计是不断地追求并推翻自己的想法。设计是你手头上有的资料和你脑子里的想法的有机结合。说实话，我认为任何一个设计项目都没有现成的解决办法。

Jochen Rädeker，创作主管

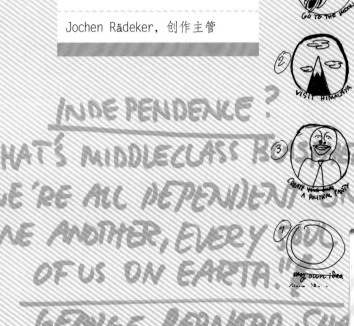

手写的注解被扫描并融入日历的页面。

随着设计概念的演进，设计师把素描过程中各个阶段所提出的意见结合起来，不但达到了提高图片效果的目的，还形成了对日历新章节的构思。设计师们用不同的旁白和手法构成了日历的其中几个部分，这使得他们能用更多元化的方式去体现制品的质地。

这也让整个设计过程显得更个性化。材料的顺序是那些个性化的章节中很重要的一个方面。

二次作品中一页确定新概念所使用的部分。附页中展示了更多加工过的印刷品。这些印刷品包括浓淡、长度不同，风格各异的线条元素，以及各个章节中的图片的半成品。

不管他们是否保存之前设计的记录。Rädeker 解释说:"这是原则问题。设计公司要给客户提供解决方案,而不是让客户去选择解决方案。"因为客户参与了设计讨论,所以他们不会对设计结果感到出乎意料。 应客人要求作出的唯一改变,是加入一些裸体图片以迎合美国市场的需求。这个作品提出了功能与形式之间的相似点:这是一本为显示独立性而不设固定日期的日历。这种分歧在其他似乎不相关的部分中也显得较为突出。

"我们的目标是尽可能多地突出独立性的各个方面,我们想展示Phoen Xmotion这种纸张的印刷适应性—— 因为这首先是一本纸张样品,之后才是一份关于独立性的作品,"Rädeker接着说,"这也是我们使用多种印刷技术去显示明暗不同的阴影、肤色、及色彩渐变的原因。"这是一个满页尺寸的图片与生动的元素的结合。两种字体和一种独特的红色创造出一种代表Scheufelen公司的视觉信号。

设计师对设计好的封页进行再加工,与此同时,Rädeker和别的设计师正在构思新的方案。设计的再加工主要包括调整印刷方法,调节色平衡,已经通过与印刷商的紧密合作监督作品的印刷生产。在整个设计过程中,设计师两次向客户展示了半成品——Rädeker认为,考虑到要在很短时间内完成创作,这样的做法是可行的。设计的定稿时间最后被压缩成四个星期。

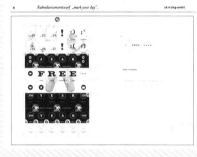
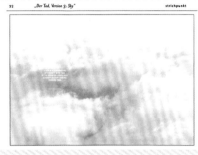

DESIGN EVOLUTION 完成设计

图片开始显示其中一个章节的总体表达方向——对生命各个阶段的探索(从出生到死亡),以及独立性在各个阶段的具体体现。设计师们选用图片时会考虑到它们不同寻常的甚至有些离奇的创作题材、构图方式,出人意料的用色,以及与"独立"这一中心思想的概念相联系。那对正在修剪树篱的裸体夫妇和沙滩上唯一的小屋,这两张图片就是很好的例子。

在日历的创作方面,设计师们决定从一开始就把它变成个性化。手工绘制的插图让每一页都成为一个独特的个体。另一个设计概念是让日历的使用者自己标注日期。这个创意发展的结果是没有固定的开端和结尾,一切都由用户决定。

为了让使用的过程更有趣,设计师根据他们研究过的标语和短生植物,构思了用于标注日期和时间的贴贴纸。

"大多数纸样宣传册都是赏心悦目的。
这个作品的特别之处在于，它还讲述了一个
故事。它和你一起经历你的生活，" Rädeker
说，"它是一本能和人互动的日历，因为它
会让使用者自己去创造他们自己的日历。而
且这个作品灵活地体现了客户想要传递的核
心信息。它用一种非说教的方式说明了一些
道理。"

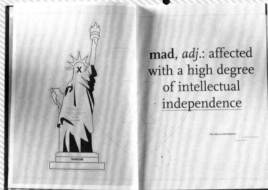

设计师们最终决定
用亚光的鲜红色和锡印
构成封面。

开篇序列用图表和
合理排版的文字向读者
介绍了作品的概念和该
纸业公司的情况。

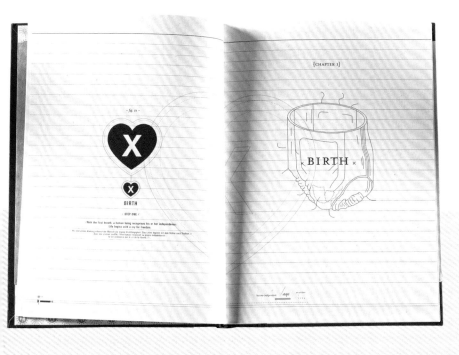

跨页的两张图片被相同的大字标题联系起来，其中一张的光线较弱。这个跨页列举了从不同的实体或心态中获取独立的各种途径。这些图片都是如实拍摄的，这让它们显得很客观。图片的色彩和细节很丰富并带有色调的变化。

散布于整张图片的标志、注释、统计数据以及图表营造了一种让读者去探索的意境。

"生命的不同阶段"这一章节的第一张跨页图片总括了所有出现在章节开篇跨页图中的元素。图标、插图，以及笔记本式的分行让图片显得颇具学术性。

设计师们用一些图片把概念性的内容带到作品中。例如这张跨页图显示的是一个教室的场景。注意黑板上的图片和文字。

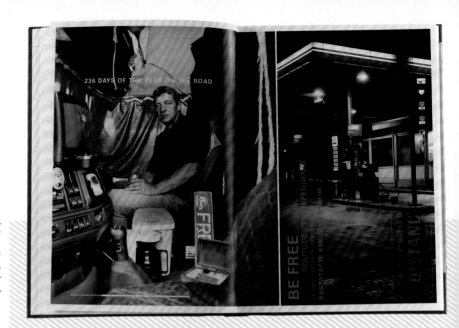

> 基本的创意非常严肃，紧紧地与公司的价值观相联系。设计和工具本身非常有趣。这也跟我们的业务有关：认真对待事情，同时也意味着其中自有乐趣所在。
>
> Jochen Rädeker，创意总监

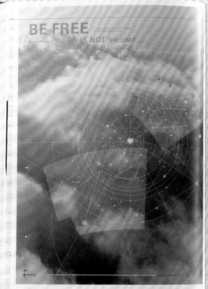

这一作品的基本概念是非常严肃的，它与公司的价值观紧密相连。设计的过程以及工具却是充满了乐趣。因此这个作品又体现了我们公司的理念：认真对待一项工作就意味着从中获得很多快乐。

设计师运用了许多不同的方法来展示纸张的印刷特性。这其中包括光泽面处理以及金属质感的锡印——这些可以增强纸张的质感。

一组图片详细地反映了那些常年奔走于路上的货车司机的生活。这些图片的拍摄手法很夸张甚至有些超现实，这也反衬出之前章节中的图片是直奔主题的。

设计师用纸业公司的代表色红色，不同的印刷手法，以及始终如一的主题，把那些一直在变化的、视觉的和概念性的体验有机地结合起来。

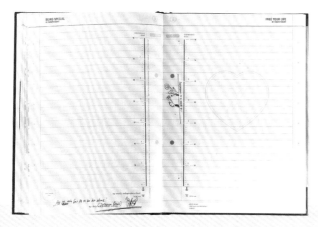

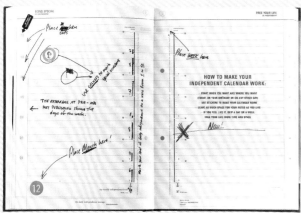

开篇跨页突出了手写体的介绍。鲜明的线状印刷，图标细节以及粗犷随意的手写体延续了视觉效果的变化。

贴贴纸让使用者能够随自己的喜好摆弄这本日历。有了贴贴纸，我们更容易设定大大小小的目标。一张写着"只使用某某公司的纸张"的贴贴纸用一种自知而幽默的方式传递了品牌信息。

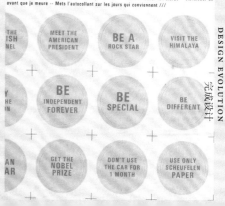

19

封面上的建筑
The Architecture of Book Covers

墨尔本的Heide艺术博物馆一直是Gollins Pidgeon设计公司的客户。该公司一直负责博物馆的形象及标志设计，以及发行一些跟展览相关的资料，其中也包括展品目录。博物馆需要一本目录，其主题为"生活胜景：Heide博物馆与McGlashan和Everist设计的房屋"。这个展览主要是展出两位获奖建筑师的作品，他们中的一位还为展览馆设计了一间画廊。"我们想把这个目录做得特别一些，而不是像大多数目录那样简单地用图片来做封面。"公司主管David Pidgeon说。目录中着重强调别的一些建筑师，例如德国的Ludwig Mies van der Rohe 和德斯太尔抽象画派艺术家 Theo van Doesburg 对McGlashan 和 Everist的建筑风格有着重要的影响。这些影响体现于他们的平面设计图中，并对目录的封面及文字设计产生了启发。

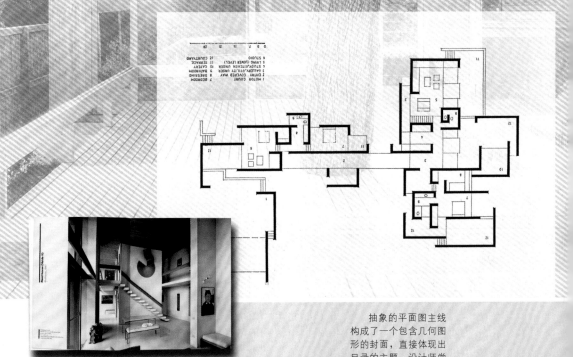

抽象的平面图主线构成了一个包含几何图形的封面，直接体现出目录的主题。设计师尝试着用蓝图来包裹封面，没能获得预期效果，继而决定给封面裹上透明的封皮。

Pidgeon和首席设计师Kate Rogers 最初的想法是要用一张Heide二号厅的设计蓝图做封皮。这个想法没有被采纳，因为平面设计图并不适合这样的处理方式而且相关成本也和计划不相符。然而，由于看到了其中的重要性，Rogers并没有停止研究Heide二号厅的设计蓝图作为封面的基本元素。随着设计的进展，她提出从Heide二号厅的设计蓝图抽象出一些主线组合，用作封面。

Pidgeon和Rogers考虑把设计图打印在一张透明的封皮上。与最终方案相比，初期版本只包含了外墙的主线。这个版本更抽象而接近德斯太尔抽象画派的风格。诸如门窗等细节被以较细的线加入到设计中，以确保这些线条组合与Heide二号厅的设计图之间的联系。随着设计的进展，设计师们决定要大标题印到封皮下的封面上，并冲切封皮，让标题凸显出来。Rogers选择Grotesque作为标题。

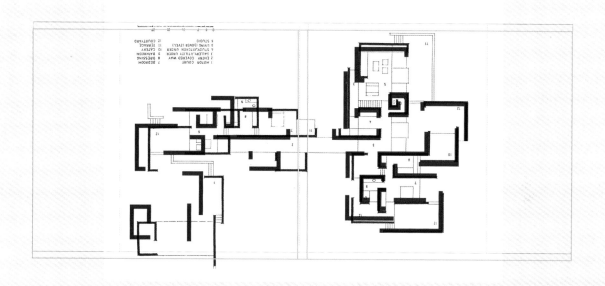

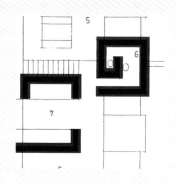

平面图中的线条显得过于纤细。所以整个平面图运用绘图软件重新设计，因而设计师可以更高效率地改变线条的粗细。

我尝试着展示一种概念。然而我们常常也展示形成这种概念的过程，这其中可能包括在此期间提出的备选方案。最终我们只会向客户提供一种方案。

David Pidgeon，公司主管

是因为它跟现代派颇有相同之处，又不甚明显——Akzidenz Grotesk的脸就是个很好的例子。"我们曾考虑把内封做荧光绿，而透明外封上的线条可以使整个封面的颜色不再单一。"Pidgeon解释说。客户选择一个灰色版本因为他们觉得这样的配色更协调。封面的设计还对制作产生一些影响。为了保证目录标题清晰可见，外封上的线条需要跟内封的标题完全重合。由于时间限制，内封和封皮要有两个不同的制造商同时制造，这就意味着很难保证他们能够完全重合。设计师不得不加宽封皮的细条，并希望这个制作完全符合标准。

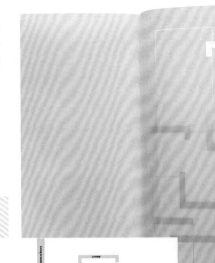

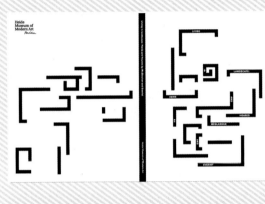

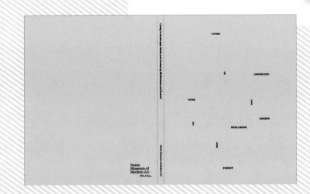

设计师对封皮的透明度进行了测试。最终他们觉得用不透明的白色可以跟内封的颜色相互衬托。这让他们想到了用嫩绿色的装订，而这种颜色可以通过平面图主线的缺口映衬出来。

封面的最终版本选用了那种不透明的白色，整个作品还保留了一定的透明度。这样当内封和封皮相配的时候就显得更有立体感。

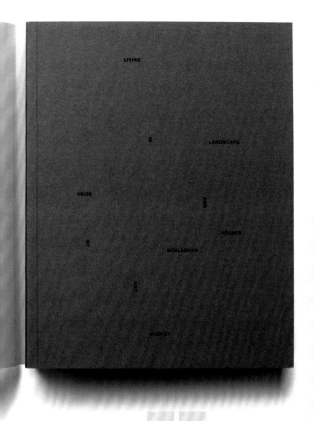

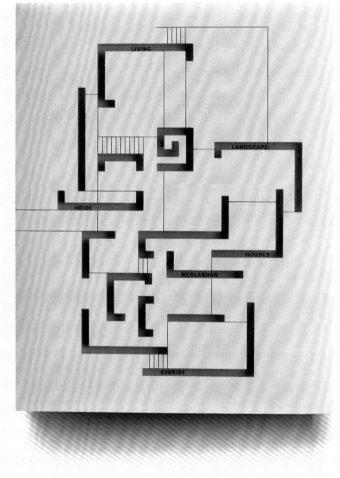

> 把封面分为内封和封皮
两部分，封皮采用半透明白
色乙烯基材料以形成透明线
条效果，内封由沉稳的颜色
和打印体构成。这样我们就
把一个本是平面的构图变成
了一个反光的，有质感的，
而且具有互动性的作品。

David Pidgeon，公司主管

封面上用Grotesk字
体印了展览的名称，以
示对建筑师作品反映的
时期梵文衬线字形的敬
意。梵文衬线字形被运
用于整本目录中。设计
师很注意文字的定位。
因而封面上的文字可以
自然而然地引导读者的
目光。封皮的线条元素
也起到了辅助的效果。
封面的主线起到了分割
不同内容的作用。

风格"凸"现

A Class Act,
A Lincout Above

在一个朦胧的夏夜步入森林中，发现凯撒大帝身上带着月光和树叶的影子构成的斑纹——如果有什么比这个更有趣的话，那一定是这个设计的内容。需要这个设计的客户美国乐手剧院，是一个位于威斯康星州Spring Green市的经典户外剧院公司。Planet Propaganda设计公司的设计师把完美的表演、宏大的主题、颜色、服装，以及晚间新鲜的空气融为一体，为客户设计出一本朴素的却颇具表现力的2007年宣传册。设计师的任务是要创造一种视觉效果以宣传新一季的表演并吸引观众。

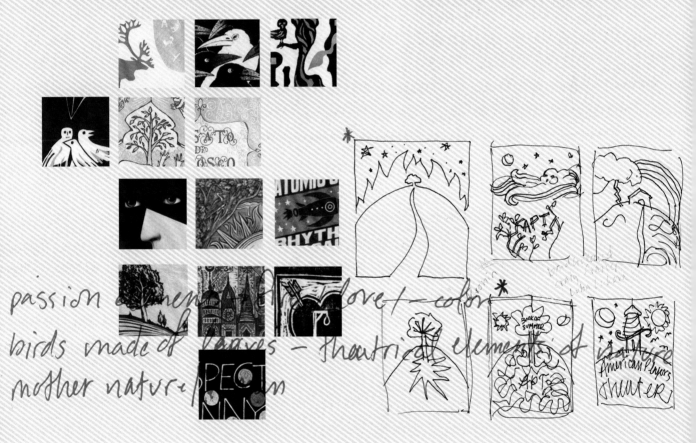

为了确定宣传册插图的风格，设计师通过许多不同的途径选取图片。这些图片都强调了户外剧院的特点。纺织品上的手绘图案和木刻图片体现了一种朴素的户外态度以及新一季戏剧的人文气息。源于波兰海报的色彩丰富的图片则体现出夸张的感性。

在考究插图风格的同时，设计师开始为不同的戏剧设计图片。这些素描显示出设计师强调对带神话色彩的，图标性的，以及元素图片的使用。

这些清晰的图片为设计师构成了良好的记录，也是一种很好的与客户沟通的媒介。注释中标出一些用于进一步宣传各个剧目的概念。

在整个设计的开始阶段，设计师们没有一个明确的主题方向时，一些近似的主题也会对设计起到促进作用。"我们负责美国乐手剧院的设计已经有60年了，"Planet Propaganda的创作设计师Dana Lytle说，"而且也从这些年的创作中选用了插图。当我们开始设计这本宣传册的时候，美国乐手剧团的新一季表演还没确定下来。插图是具有很强的可塑性，这让设计师们能够根据新一季表演的进行或者某个剧目对设计进行调整。"

今年，美国乐手剧院和Planet Propaganda设计公司决定要向观众强调：身处户外剧院本身就是一种令人兴奋的经历。美国乐手剧院开始对新一季的表演做出调整，他们选择了一些与大自然联系较为密切的剧目。随着主题的发展，设计师们开始考虑使用插图来强调主题信息。麻胶版画的手工质感，波兰剧院的活力及超现实的戏剧性，这些都让设计师们颇感兴趣。他们把这些因素涵括于设计中，并开始绘制一些能融入剧院主题的图片。

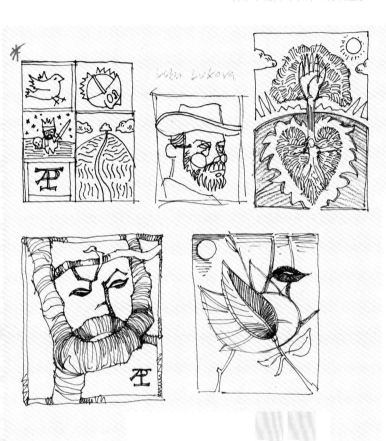

我们几乎保存了所有的创意。这样做是因为你永远不知道什么时候会用到之前构思的某种概念。

Dana Lytle，创意设计师

其中一张为新一季而作的宣传画的概念是以树为舞台，鸟儿既是观众也是演员。图片自然的主题反映出新一季表演接近大自然的趋势，还给观众们一点小贴士——这一季的表演将在树林中进行。

在设计的早期，设计师向客户展示了这些图片，以及他们想要用于宣传册的麻胶版画。Lytle是这样解释他们的设计策略的："只提供一种概念是异乎寻常的。然而美国乐手剧院本来就不同于一般的客户，每一季的设计都是设计公司和剧院之间合作的过程。因此当我们只给他们提供了一种概念的时候，他们在设计中融入很多他们自己的东西。"

在麻胶版上的创作出了错之后就很难修改。刻刀一不小心打滑或者作者选择的线条出现了偏差，就意味着只能另换一块新版了。

Dana Lytle，创意设计师

一旦确定了"树"的主题和麻胶版画插图相配，设计师对每一个剧目的宣传画都进行了类似的修改。上面一组图片就显示了其中一个剧目（Thornton Wilder创作的"媒人"）的宣传

画的修改过程。小的概念性的图片被发展成大的细节明确的铅笔画。

设计师们试图把与剧目主题有关的图片元素与树和鸟融合起来。

鸟儿成为了图片的主角，居于图片正中。酒杯，图形和鱼取代了树。鸟儿飞过的区域给人的感觉是另外一只鸟的一部分。设计师们花了很多时间把图片的元素简单化，以及把图片的主角凸显出来。

设计师们还对象征性的元素进行了增减。他们把鸟的翅膀修改成类似于手的形状。这些小细节较为夸张，并用更少的内容涵括了更多的信息。

客户认同了总的设计方向，而设计师们则继续为插图寻找创作题材。他们绘制的图片包含着宏大的象征意义，并反映一些非传统的关系。设计师还通过图片展示了在森林背景下的各个基本角色。作为图片主要组成部分的一棵大树既代表了森林，又是舞台的象征——一个大自然上演它的戏剧的地方，一个群鸟共鸣的地方。别的一些物件及次要角色，以及各个剧目的象征物分布于图画中。

图片具有一种神奇的甚至是带有神话的特质，使其能够与剧院及户外的主题有更深刻的联系。几个月之后，设计师们对图片进行加工，然后雕刻到麻胶版上，准备印刷了。对于图片的修改大多数是在准备印刷的过程中进行的。Lytle解释说："这个设计是一个逐渐改进的过程。客户参与到设计的每一个步骤中来。而一般情况下客户只会参与几个关键点的决定，然后进行修订。"

最终版本的手绘图被以浮雕的形式雕刻在麻胶版上，以便上油墨。

设计师对版印好的图片进行扫描和分离，并运用四色印刷法对其进行处理。他们还调整了色彩分离，以保持版印的那种鲜活感。

THE MATCHMAKER · ROMEO AND JULIET · MEASURE FOR MEASURE · ARMS AND THE MAN · J

ÆR

AMERICAN PLAYERS THEATRE
2006

> 这是一个经典的设计上的矛盾:图片中的审美元素越是自然零散,设计师在编辑的时候就需要越小心。与此同时,我们相信我们的灵感。

Dana Lytle,创意设计师

随着插图设计的深入,设计师们在插图中引入了粗犷的印刷体,其中还融入了手工雕刻字体、装饰元素和平板衬线。插图的风格决定它需要一种强有力的原始的色调,与之相应的是这样的宣传让威斯康星州的人们在冬天的后期到户外剧院看戏。要知道,那时候的景色是最不好的。插图中充满活力的给人夏天感觉的部分,是要让读者感觉到剧院在热情地欢迎他们的到来。

在新一季的主宣传画中,树是全图的精华所在。大树根植于图片的最底端,向外伸展着它的枝叶。图中的剑传递着激情和危险的信息,血随着剑锋滴到泥土中,滋润了这棵神秘的大树的根。一只小鸟在树上栖息,与此同时一只老态龙钟的乌鸦正在向大树靠近。棕色、绿色、金色、红色以及淡蓝色的组合与图片粗犷的风格相一致。这种朴素的色调恰好体现出戏剧本身的原始特质。

附页的字体用色显得随意而不羁,这是对图片和粗犷的刀凿式字体的补充。附页的功能是戏剧介绍、票务指导和时间表。这决定了附页不需要使用繁复的印刷手法,而需要明确的中心结构。这个中心结构由类似书本的衬线Wood-type的哥特字体和平板衬线配合构成。风格随意的标题与平缓的文字编排相得益彰。

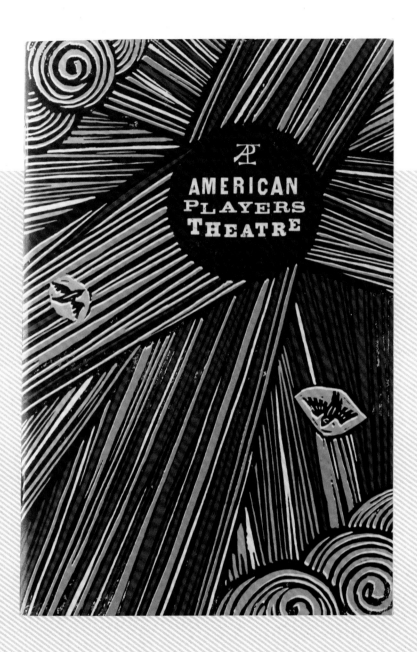

设计师用麻胶版印
出一些细节图片，用以
衬托附页的主要构成部
分。这样一来很多小的
细节就更明确地成为了
设计的一部分。

ARMS AND THE MAN

by GEORGE BERNARD SHAW
Directed by JAMES BOHNEN

• • • • • • • • • •

A young woman alone in a dark bedroom. Gunfire explodes in the streets below. As she cringes in fear, the shutters slowly pull open and the figure of a man clambers inside.

Thus begins one delightful comedy on the absurdities of love and war. Opened to raves in London, 1894. Hugely popular to this day. Welcome aboard. You're in for quite a treat as our acting company sinks its talents into a world famous show.

Colleen Madden plays Raina, the woman above, whose romantic notion of love (and war) is stood on its head when a desperate, beaten soldier on the run climbs in through that bedroom window. What fun. Tricky part is, her fiancé fights for the other side. That's Jim DeVita. A ridiculously courageous cavalryman. Preening peacock besides.

You'll have an ache in your side, bursting with mirth as this threesome entangles itself in Raina's lovably dysfunctional family. Sarah Day is her snob of a mom. Paul Bentzen's the dad, a Major who's majorly befuddled. Their maid is a volatile volcano. She's craved by the pragmatic valet.

Shaw's a play writing genius for sure. His work lyric with wisdom, hilarity and charm. The repartee zings. In laughter your spirit will wing. Leaving you feeling so light on your feet, you just might glide down the hill to the parking lot after. ❂ OPENS AUGUST 12

MEASURE FOR MEASURE

by WILLIAM SHAKESPEARE
Directed by KENNETH ALBERS

• • • • • • • • • •

In this outrageous comedy, the arrogance of power runs amok among the affairs of church and state. Neither of which escapes Shakespeare's engaging, scathing satire enlivened by a rowdy bunch of characters unlike any other in the world of Bard-dom.

Vienna's become a Sin City of moral decay and decadence. The ruling Duke's lost control, so he puts his Deputy in charge to clean up the mess, and then skips town. At least that's what everyone thinks. The Duke actually stays around in a monk's disguise, spends the play pulling strings in the wings.

Meanwhile, the vice squad is unleashed to purge iniquity's dens. Problem is, the new ruling Deputy can't seem to control his own illicit desires. He agrees to pardon the condemned brother of a nun provided she agrees to jump into bed. That's when the fireworks begin. By the end, we've got a severely severed head, a bedroom switcheroo and enough power abuse to cook that Deputy's goose.

What bark. What bite. This play's got fantastical powers to incite. With Jim DeVita as the Deputy taking a run at Colleen Madden the nun, while Brian Robert Mani looks on as the Duke in disguise. Sarah Day plays the Madame of Tarts with a tongue that's sharp and Paul Bentzen's a revered advisor worth listening to. Grabbing great seats now is definitely the thing to do. ❂ OPENS JUNE 29

JULIUS CAESAR

by WILLIAM SHAKESPEARE
Directed by SANFORD ROBBINS

• • • • • • • • • •

Thrill to the action up the hill. Its fervid pulse beats. The pounding of destiny beneath your feet. This gripping political thriller spins such a web, you're totally immersed in a mesmerizing spectacle.

Find yourself among cheering, enthusiastic crowds welcoming mighty Caesar home to Rome in triumph. Feel the knot of a deadly plot tighten as conspirators coalesce around Brutus and Cassius. Recoil in shock and awe as these assassins converge upon the Emperor, slashing him open.

Spellbound, you witness Mark Antony pouring his heart out over Caesar's dead body. Incites the mob to murderous riot, hell-bent on revenge. You're swept along to barren battlefields where those murderers meet an ignominious end. Their ideals could never justify that single act of savagery. Indeed, from ancient Rome to now, this is a work for our time, for all time. In a world where history continues to be written in blood.

The rock solid core of our acting company has been cast. Brian Robert Mani plays Caesar. David Daniel is Mark Antony and Jonathan Smoots the conflicted Brutus, paired with Tracy Michelle Arnold as his wife Portia.

From the beautiful soaring of its language to the profound psychological ache embedded in its soul, this is one powerful show. ❂ OPENS AUGUST 19

设计师注重垂直空间的间隔、柱状元素的宽度和跨槽的调整，因此他们能把整个对称的页面做得充满活力。

颜色和字体的反差是用于增加层次感，并保证附页清晰易读。

多伦多摄影棚形象设计及网站
Compass360, Inc. | 加拿大多伦多

四个红色的方块：
这就是包装

Four Squares
and a Hot Red:
That's a Wrap

Compass360设计公司的建立者和创意设计师Karl Thomson说："摄影棚总是被宣称成待租的大盒子，我们却给了多伦多摄影棚一个与众不同的形象。所有的元素都被加工过，而我们的广告的主要颜色还是很典型的加拿大色——红色。这个设计是为了提升摄影棚在娱乐界的形象。设计成功让摄影棚立于多伦多市场的最前沿。"设计看似简单，实际上却颇有深度，还为网站设定了基调。另外，别忘了，它可是红色的!

> 客户能用正确的态度审视我们的设计是很重要的。我们努力让所有被选的方案都站得住脚，在展示方案的同时鼓励客户参与讨论。往往在我们展示第一个方案的时候，客户已经感觉他们参与到设计中来了。

Karl Thomson，创意设计师

设计师们通过电脑寻找摄影棚图标的构图感念。他们倾向于使用一些只会给人少许惯于电影方面的暗示的图片。

线条分隔了水平的字体排布以给人胶片的感觉。四个方块组成的"i"代表了多伦多摄影棚的四种性质，构成了一条垂直的胶片。放射状的四个方块组合体现的是银幕的感觉。垂直的分割线让图片看起来像一张电影票。

在一个方框中堆叠三个单词暗示的是放映机。

随着摄影棚形象设计的发展，它的网站也受益匪浅，获得了相关奖项，并顺利开通了。客户需要Compass360设计公司把摄影棚定位为加拿大同行业中的顶尖机构，而重新定位的其中一个步骤就是要为摄影棚设计新的商标。商标设计的初期，设计师通过电脑辛勤耕耘了一个月，并有一小部分的设计是通过素描完成的。Karl说："使用什么工具进行设计是取决于设计师的。在电脑上进行黑白的设计会对整个过程很有帮助，是因为这样做能让设计师能够看清设计的核心理念，而不被颜色干扰。"

这个设计的核心理念都注重印刷手法，其中的很多都强调了"FILM"这个词。另外设计师还通过精细的布局和线条处理，在设计中体现"胶片"或者其他电影行业的象征性标志。经过几轮公司内部讨论，Compass360设计公司展示了一个设计方案。在这个方案中，"FILM"这个单词的四个字母分布于四个象限，这是由摄影棚真实布局抽象而成的。Karl又说："我们会为摄影棚提供三到五个市场形象的设计方案。对于多伦多摄影棚来说，

在设计师向客户展示的设计方案中，"FILM"这个单词的四个字母分布于四个象限，上下分别设置了文字。

这个方案和"四个方块组成的 i"一样，暗示的是摄影棚的现实布局。

红色充满活力而引人注目。在一个充满视觉干扰的环境，红色也能凸显出来。多伦多摄影棚有一面巨大的墙是面对多伦多市区一条交通繁忙的公路的。这面墙被涂成抢眼的红色，上面还有摄影棚的图标，图标的旁边是白色的"正在上映"的字样。

Karl Thomson，创意设计师

设计师没有采用衬线字体是为了设计的统一性。他们调整了黑色部分，使这个部分的字体粗细看起来跟红色方框的粗细相同。加粗了的"FILM"在整个图案中显得很抢眼。

1. LAUNCH

2. LOGO GROWS

3. TRANSITION

4. WITHIN SUBSECTION

尽管我们知道要相信自己的直觉，但我们的设计只有很小一部分是下意识的。每一个设计的每一个方面都经过设计师的深思熟虑。

Karl Thomson，创意设计师

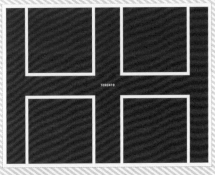

网站的设计可以说是水到渠成的。考虑到摄影棚图标包含的由摄影棚地图抽象而来的四个方格，设计师几乎是靠着直觉就决定把网站内容分为四类。这幅素描用寥寥数笔就展示这个网站将会是什么样子。

在网站的初始版本和现用版本中，我们可以发现同一个设计概念衍生出的设计上的变化。四个内容各异的方框分布于四个象限。有意思的是，网页中没有完整的摄影棚图标，我们在浏览过程中总会见到"FILM"。

广告宣传是品牌的直接延伸，所以我们只提供了一个设计方案，而其中的标题是可变化的。"

摄影棚的管理团队理解了Compass360设计公司的设计方向，并没有提出任何异议。Karl和公司的其他设计师进而开始设计各个方格所连接的页面的内容，这个设计过程大概是三个星期。Karl兴奋地说："多伦多摄影棚的图标代表了它能提供的服务的精髓。奇

妙的电影就是在这'四个小方块'中完成的。"由于网站有清晰的形象，而方格式的结构又能很好地把网站内容连成一个整体，设计师能用一幅简单的素描就完整体现了网站的概念并不让我们感到惊奇。网站的设计是由摄影棚图标衍生而来的，在四个象限中遨游，矢量动画的运用让网站使用者有了互动的感觉。打开网站就会看见一幅由四个分别包含

"FILM"这几个字母的方块构成的动画。

网站用户在四个虚拟的"摄影棚区"浏览设计简约的网页，获取相关的信息。用户可以通过网页上的按钮浏览次级网页。

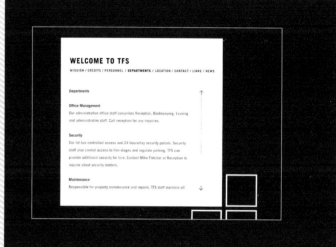

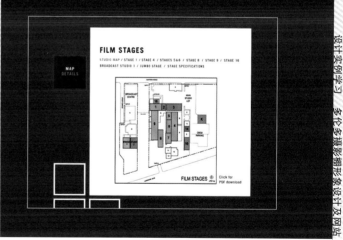

每一个象限都可以扩大并变成白色而显示相应的内容。一个简朴的次级目录单线浏览系统给网站进一步改进和增加链接提供了方向。图片出现的白色区域的偏下的部分，旁边有相关的文字介绍。

网页中同时存在的A级象限会在鼠标经过的时候显示相应的链接。

象限直接的转换迅速而流畅。这是效率、专注及注意细节的体现。定制的滚动增加了设计的细节感。

一封家书，一丝灵感
Something to Write Home About

酿酒这一充满传奇的行业有着数千年的历史。一种酒的品质和特点取决于葡萄园的地理位置，当地的气候，以及酿造的制作理念。由于这个行业与土地和人有着如此深远的联系，酿酒厂所处地区的历史能为酒厂的市场形象及背景故事的设计提供丰富的资源。Matthew Remphrey在为澳洲南部的Henry's Drive Vignerons酿酒厂设计商标时注意到了"历史"的重要性。19世纪时，邮递马车往返于在澳洲南部的阿德莱德和墨尔本之间，为人们提供服务。车夫曾经让马休息的地方，如今归Remphrey的客户所有。而当年那个马车夫的名字Henry Hill，现在变成了葡萄园的名字。这段关于邮递的历史是Remphrey为Henry's Drive Vignerons酿酒厂进行商标设计的基础。

在那些粗略的素描还没被发展完整之前，Remphrey很快就开始对商标的各个元素进行艺术加工。在此之前他向客户展示了一些反映他的设计理念的图片——19世纪的邮票以及其他一些相关的图片。

设计的方向和葡萄园的名字都来源于一个事实——之前邮政车夫让马休息的地方，现在是一座葡萄园。

各种邮票、邮递单及邮箱表面的组合，能让整个设计显得变化丰富而且很有质感。

Remphrey说："我们的目标是要设计一个商标让Henry's Drive Vignerons酿酒厂在同行业竞争中更胜一筹，而且我们要让消费者觉得有理由去购买相应的产品。Henry's Drive的目标受众包括酒类收藏家、爱好者、斟酒服务员以及饭店的经营者。"Remphrey常常把手绘的素描进行复印，以获得范围感和质感。这个阶段大约历时四周，直到设计师第一次向客户展示设计方案。通常Remphrey第一次向客户展示的是设计的草图，而不是完整的作品。这些草图能让客户参与与设计相关的讨论。

一组印章加上设计师的手绘草图展示了葡萄园的"商标"最终可能是什么样子。手绘的邮票细节产生了"信笺抬头"的创意——邮票图片代表了所有者，盖着橡皮图章。不久之前，Remphrey还提前构思了产品概念。为Pillar Box(这是个信箱的名字)Redvarietal而作的这幅草图预示了商标设计可能出现的变化。

和别的行业不同，酿酒业是非常零散的。如果你要花二十澳元买一瓶葡萄酒，你会有数百种选择。这些酒中的大多数看起来都很普通，完全不能吸引消费者的注意力。

Matthew Remphrey，公司主管

Remphrey说："有时候我们只朝着一个方向展开我们的设计思路，这取决于设计早期的反馈以及相关解决方案。我很少给客户提供三种方案，也从来没有提供过多于三种的设计方案。"

除了讨论之外，Remphrey和他的设计团队会听取客户的意见并把这些意见融入设计中。通过第一次设计展示及交流，客户认同了Parallax设计公司提出的设计理念：源于19世纪邮政服务的浪漫感觉。"我们寻找真实的表现形式，插图风格、印刷技术、纸张以及颜色力求能做出那个时代的感觉。"Remphrey特意把邮票和邮戳组合起来，构成了一个可变化的商标。设计师还把酒厂拥有者及其夫人的头像做成邮票的效果，并盖上了特别定制的印章。这样的印章起到了商标的作用。

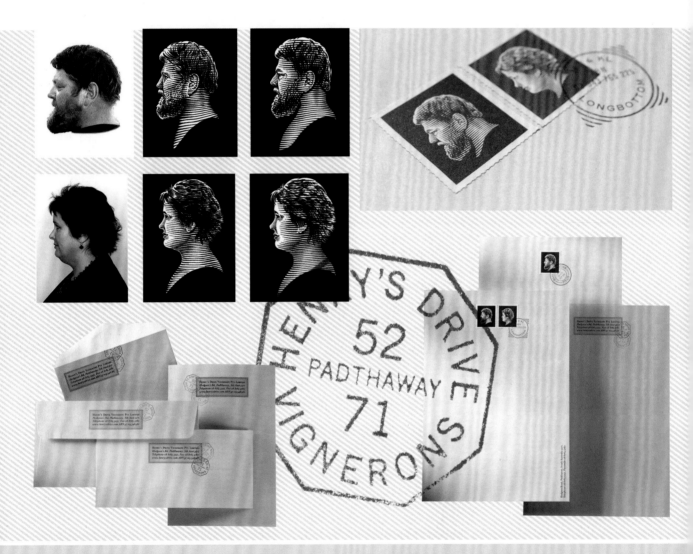

一位插图设计师把头像邮票做成黑白色，并经过电脑处理，使其看起来很有历史感。

印章是客户特别定制的。它由电脑绘制，然后雕刻在橡胶上，再手工印到信纸上端。

设计师用这一组不同颜色的信笺和一张看似邮包标签的名片扩展了关于邮政的设计概念。三维组合的设计和凸显的标志性元素给人以丰富、浪漫以及一切尽在不言中的感觉。

而它同时还是一个图标——印章成了在宣传邮件的一部分。不同设计方案的独立元素被融入酒厂市场形象设计中。宣传资料、装瓶、媒体组合宣传，这些让具体的图片有机会发挥作用，也让设计时可以调整插图、印刷技术以及图标。概念的真实性是设计的原动力。正如Remphrey所说的："我们试图把许多单一的设计概念融合到一起，让广告的受众能感觉到与产品之间的某种联系。"

例如，设计师把古老的印刷技术、鲜亮的颜色以及与众不同的标签方式融合到一起。一个印刷考究的邮件标签包含了酒厂相关信息，这起到了名片的作用。标签还可以用来封闭信封。

信封的形状是根据邮差的邮件包设计的，它的内面印有放大的手写体的内容。历史的象征得到了升华，使整个作品看起来不再是一个文学衍生物。设计师还通过调整大小、颜色，以及混合效果让作品变得生动起来。

手写信件的创意是通过对这个展开的信封的缩放抽象出来的。而信封是根据邮差的对开本设计的。

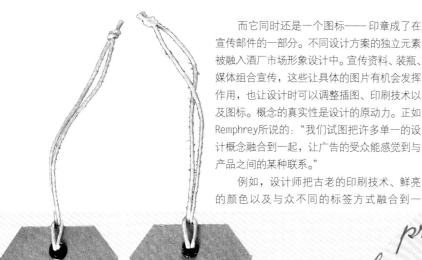

Named after the proprietor of the 19th century mail coach service which once ran through their property, HENRY'S DRIVE VIGNERONS is the wine operation of the LONGBOTTOM FAMILY of PADTHAWAY. Third generation pastoralists MARK & KIM, are forging a new family tradition of fine winemaking. Their acclaimed HENRY'S DRIVE single varietals and PARSON'S FLAT Shiraz Cabernet Sauvignon are wines of rare excellence.

KIM LONGBOTTOM
kim@henrysdrive.com
Mobile 0408 838 435

Hodgson's Road,
Padthaway, Sth Aust 5271
Telephone 08 8765 5251
Facsimile 08 8765 5180
www.henrysdrive.com

HENRY'S DRIVE
VIGNERONS
HODGSON'S RD
PADTHAWAY 5271
STH AUSTRALIA

手写信件的创意是通过对这个展开的信封的缩放抽象而来的。而信封是根据邮差的对开本设计的。

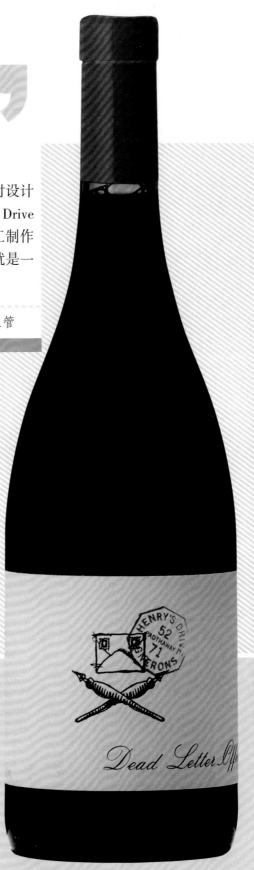

> 我会投入很多时间对设计进行加工。这个Henry's Drive的酒瓶以及它附带的手工制作的信封、明信片、票据就是一个很好的例子。

Matthew Remphrey, 公司主管

这幅被称为"死亡信件公司"的图片没有经过任何加工就成为了varietal这种酒的商标。设计师把两支交叉的钢笔、两张邮票、一个倒置的信封设计成一个骷髅的感觉。

"死亡信件公司"这个商标告诉我们适当的尺寸和排布能让人觉得设计是自然而然形成的。设计师对信封和邮票的视觉效果的调节，以及字体的选择、文字的分布（第一个字母的位置和两支交叉的钢笔的中轴一致），造就了这一无可挑剔的作品。

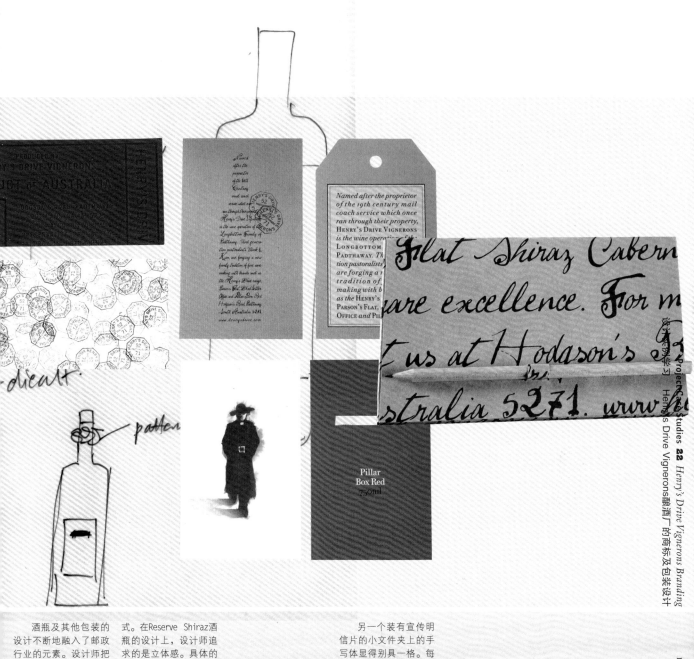

酒瓶及其他包装的设计不断地融入了邮政行业的元素。设计师把源于这个品牌各方面特质的元素——手写体、邮票、明信片、标签、票据以及印章混合配对，创造出一种不被传统模式所羁绊的品牌宣传方式。在Reserve Shiraz酒瓶的设计上，设计师追求的是立体感。具体的做法是在酒瓶上印上手写体的文字，然后用一个邮差的橡胶条固定住一个明信片状的标签。

另一个装有宣传明信片的小文件夹上的手写体显得别具一格。每一张卡片的设计都不同，以显示商标的个性化。例如Pillar Box Red这种酒的卡片上就有一个看起来像投信口的冲切口。

23

Adobe公司在设计行业大会暨展销会上的展位

AdamsMorioka,Inc. | 美国加州贝弗利山

二十年来Adobe公司一直在设计软件行业独占鳌头，时至今日，世界上任何一个设计师都会用到Adobe公司的产品。我们很难想象一个在为设计行业服务了那么多年的公司还需要在展销会上进行产品展示。负责本项目的设计师Sean Adams说："我们觉得，在坚持公司核心理念并让用户理解这种理念的同时，保持与用户之间的联系对于大型公司来说尤其重要。"

你有什么好主意？

What's Your Big, Bedazzling Idea?

Adams Morioka设计公司设计了整个展位，以及和展示相配套的手册。设计开始阶段的重点是展位的体验，这个过程是通过电脑完成的。

这些从初次设计展示中抽取的页面，体现了设计师"与参观者互动"的设计理念，让参观者觉得他们也是展览的一个重要组成部分。

这个设计包含了两面LED灯墙。灯墙可以显示展厅中手提电脑里的内容。设计师们觉得用灯泡会不太安全，因为它们是会发热的。然而，设计师却很喜欢灯泡组合所带来的像素点式的感觉。

"我们想让消费者感觉到Adobe公司是理解他们的需要的。"毕竟，现在的行业竞争无比激烈，设计师们会毫不犹豫地选择最先进的软件。吸引用户最好的方法，当然是生产出最先进的软件。Adams带领他的团队，与合伙人Noreen Morioka通力合作，为Adobe公司设计了这个展位。展位让设计行业从业者感觉到Adobe公司对行业需求有很好的反应能力和前瞻性。Morioka说："因为我们也是创造性行业目标受众的其中一员。"

　　我们从来不和客户讨论具体的设计方案。我们讨论的是这些方案能够传递的信息和结果。同时我们会听取客户的意见。有的客户不会用专业的设计术语表达他们的概念，我们需要做的就是理解他们的想法，并切中他们的核心思想。

Noreen Morioka，公司主管

这些设计方案包含了可以让与会者自己进行更新的视频。这种互动让参观者能够更主动地体验展位的视觉元素。

在这个设计方案中，展位的墙上藏有许多设计创意。地毯上有"你有什么好主意？"的字样。

看起来越是简单的作品，越是需要精雕细镂。其中的关键是要让作品看起来自然而不造作。

Monica Schlaug，设计师

我们会问自己"在这样的情况下，我们想体验一个什么样的Adobe？"所以设计师们没有急着开动电脑进行作图，而是开始讨论他们希望得到的体验，然后画出一些"怪诞"的草图。Monica开玩笑说："我们的草图是如此的潦草，以致有时候我们都分不清哪些是图片哪些是很潦草的文字。而实际上两者在我们公司从来都是形影不离的。"设计师专注于把展位设计得让别的设计师觉得Adobe公司理解他们的需要。Volker Dürre说："Adobe公司想要的是一能够展示他们的想法的平台。"设计团队觉得把Adobe公司定位为"设计行业的一部分"而"不仅仅是一个设计软件公司"这一点颇为重要。"Adobe公司理解设计行业，并想通过一种充满创造性的方式展示公司的成果，"Adams说，"这其中的关键并不是工具，而是想法。"Adams Morioka设计公司最初向客户展示的六个方案的重点都是充满活力的明亮的视觉效果。其中一个方案要用到两千个灯泡，每个灯泡代表一个与会者。然而考虑到安全因素，这个方案最终被放弃了。

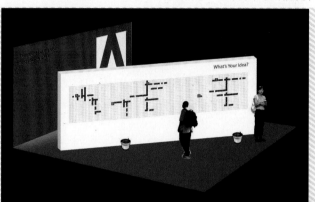

最上方的一幅图片展示了另外一种吸引参观者的方案。在这个方案中包括了一块白板、马克笔和一个看似填字游戏的格子。格子里可以书写相关的信息。

另一个设计方案包含了一个电子自动播报器，上面会显示一些不断变化的概念性的文字。还有一个设计方案提出了让参观者可以按自己的意愿添加视频的概念。这个概念被很好地融入之前提出的"大白板"的方案中。这些方案的重点都在于清晰的定位Adobe公司在设计行业中所扮演的角色，并体现用户至上的核心理念：你有什么好主意吗？

由于Adobe公司的热心支持，设计师们开始尝试让他们的设计能够体现公司的想法。Morioka说："一旦我们通过了一个设计概念，我们就会重新审视它，并尝试找出新的表现形式。"正是这种策略让他们找到了取代视频墙和灯泡的设计方案，这个方案也带有类似的"像素点"式的感觉，并更具有互动性。模块灯墙的发现让设计师们兴奋不已。他们决定要用这个灯墙展示一些动画来增加整个展位的色彩。

一种20世纪20年代的纺织品进入了设计师们的视线。他们不禁问自己："如果这种纺织品是用电脑设计出来的，那将会是什么样子？"动画的美学元素及色彩设计均源自这种想法，设计师在室内演示了这个方案。Schlaug说："令人惊喜的是动画的一个像素点正好是灯墙的一个显示单元，因此用QuickTime播放的电影的显示面积刚好是25×65个显示单元。设计师在灯墙的背面设置了一块黑板，让与会者能够通过文字或者绘画的形式表达他们的想法。这是为了告诉参观者：创造性是Adobe公司的核心价值。

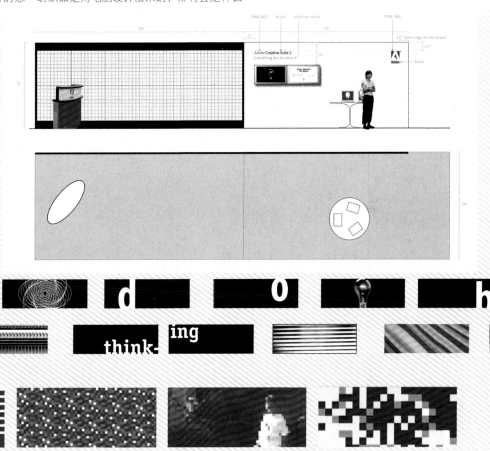

设计师最终采用的设计概念中包括了视频墙、参观者的互动，以及另外一条宣传语：你有什么好主意？设计师用视频墙取代会发热的灯墙。

在设计宣传册的过程中，文字作者向设计师介绍了插图设计师Peter Arkle。他的作品为整个看起来很简洁的设计加入了人文的元素。设计团队决定在视频墙的背后设置一块黑板。Arkle会在黑板上作画，并让参观者通过文字或者绘画的形式表达他们的意见。这样做正是要用实例证明Adobe公司对创造性的重视，也把一种古老的交流方式融入现代化的环境中。一新一旧两种媒介的选择与书写和绘画的历史发展有着直接的联系。

设计师为视频墙设计了一个环状的动画。他们偶然发现，无论图片多大，视频墙都能把像素点一一显示出来。从我们选择的图片可以看出，动画文件是很小的。

要把这样的人文元素融入印刷品中，就需要一个好的插图设计师。Adobe公司的展会文字稿的作者向设计团队介绍了Peter Arkle。"Peter Arkle为我们设计的插图和整个设计的其他元素相得益彰，构成了一个高科技与原始技术的完美组合。而参观者很快喜欢上这个组合，并理解其中的用意。"展会期间，Arkle开始在黑板上作画，并鼓励参观者也参与其中。设计师花了六个星期对设计进行加工并寻找适合的制造商。

再过了几个月整个工程就交付使用了。由于展会严格对时间限制，每个步骤都必须按时完成。为了使展位看起来更加简约，并突出视频墙两面的功能，设计师为展位加入了白色的墙和灰色的地毯。

每一个成形的设计都可能是来自设计师的刻意构思或者是偶然所得。但最终采用任何一个构思都是有原因的。

Sean Adams，公司主管

宣传册采用了网格状的排布和Arkle的插图，与整个展厅的设计形成了配套效果。

Arkle开始在黑板上作画。

展位的灯光效果吸
引了整个展会的参观者。

　　大多数的展览会的展位都
选择了暗色和不起眼的地毯。
灯墙带来的冲击是令人吃惊
的。整个展厅都可以看见它发
出的暖色调的光。参观者因此
蜂拥而至。

Volker Dürre，艺术总监

24

Kohn Pederson Fox建筑公司的网站
Firstborn | 美国纽约及洛杉矶

多年来，建筑设计一直是图形设计行业的一部分。瑞士现代派艺术家Josef Müller–Brockmann曾经从建筑学的角度谈论印刷技术，Richard Saul Wurman提出了"信息建筑师"的概念，引导观众去领略印刷品的视觉及文字效果类似于让观众们参观一个建筑项目的三维空间。当这些概念在一个新的空间领域——互联网相遇的时候，Firstborn网站设计公司为屡获殊荣的Kohn Pederson Fox建筑公司设计了官方网站。这个网站展现了建筑设计的精髓。

空间与结构
Into Space and Guided through Structure

"

KPF公司新的官方网站会从视觉角度向大众展示公司的面貌，讲述公司的故事，并告诉大家公司的每一个作品的复杂性。

Luba Shekhter，出品人

设计师最初向客户展示的一个概念采用了全屏图片的方式。一个透明的方框内包含着一些链接。当用户点击浏览的时候，这些链接会扩大或缩小。

字体在大小和亮度上的明显变化——例如被点击的时候会扩大并变亮——构成了清晰的网站分级结构。

　　这个方案把建筑物的图片作为网页背景，配以白色的边框。一个白色的方块与图片部分重叠。方块中包含了链接。鼠标滑过链接时，链接的颜色会发生变化。

　　用户点击了某个链接后，方块会扩大并显示该链接所包含的内容。同样的方式在整个浏览过程中一直持续下去。

　　这个方案把一幅图片置于一个白色框架中，配以一个颜色很淡的网格。网格的边框内包含有链接。当鼠标在某个链接停留时，屏幕上会出现一个显示相关内容的小方格。用户点击后可以浏览建筑物的结构，并可以进一步查看这个建筑物的设计分析。

　　网站的次级内容的链接被设置在页面顶部的下拉菜单中。

客户要求设计师进一步发展两个设计概念。上面几幅图片展示的是方案中，链接在不丢失动感的前提下被简化了。被选链接和未被选链接之间的大小区别更加明显。用户越往下一级目录浏览，页面所显示的A级内容就越少。

辅助信息被去掉以增加空间并简化结构。尽管进行了如此多的改进，这个方案最终还是没有被采纳。

人员进行了多次面谈以达成共识。

设计师还需要考虑到KPF本来只是一个小公司，由于公司现在在全世界的影响力，人们常把它看成大型的联合企业，尽管公司本身的规模并不大。而公司人员仍然认为KPF只是一间"小公司"。最后一个问题是，有很多的材料需要设计师去整理——多年来获奖的建筑物的资料、荣誉证书、重要的文章，等等。

经过两个星期的努力，由八人组成的设计小组从十二个方案中选出了三个，向客户进行展示。三个方案都试图用一种准确，有感染力，并吸引人的方式去展示KPF公司具有前瞻性的建筑设计理念。一个带有楼梯的楼层式的方案很快获得了客户的肯定。图片中简洁的网格结构让客户能够获得更多有深度的信息，让每一个页面有类似于设计案例分析的效果。

这个方案的其中一个优点是，它直观地从建筑学的角度表达了获取综合信息的方法。在方案得到客户的认同之后，设计师们开始对设计进行加工。他们不但要改进网站的视觉效果，还需要设计一个操作系统让客户能更新网站的内容。字体、辅助材料以及网站的互动环节在接下来的三个月时间里都一直在变化。Berg把这个过程称为"像素苦力"。"字体变化，缩小边框的宽度，数不清的电子邮件用以解释什么是像素字体，为什么像素点不能扩大，诸如此类。"他说。

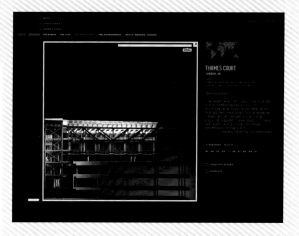

我们通过跨大西洋的视频会议讨论诸如图片中"智能框"的粗细之类的细节问题。我记得我们还真花了一点时间才在智能框的宽度这个问题上达成一致。

Vas Sloutchevsky，项目创作主管

改进过程中的第一项就是把链接如上图从上到下排列，而不是把它们藏在一个下拉菜单里。这样的水平结构让页面可以显示更多的B级链接，因此所有的垂直结构都可以用于设置A级链接。

辅助性文字以及设计案例研究的细节内容的链接被设置在外框的四周，而外框的大小也会随着内容的变化而变化。

另外，仅处理整个设计要用到的图片就是一个庞大的工程。"一共有九百张图片，每张图片要进行四种处理：要把图片分别做成高解析度、大号、中等大小和指甲盖大小。"Berg接着说。不同尺寸的图片让用户能够选择自己认为合适的尺寸进行浏览，也是网格结构的一种功能扩展。"这种设计在高分辨率的大屏幕显示器上会显示出最好的效果。点击一张可以填满整个屏幕的图片，这样浏览全景图真的很过瘾。"网页的另外一个特点是背景颜色黑白之间的快速变化。"那是一种很简单的设计处理，"Luba Shekhter说，"但它所获得的效果却出人意料的好。"设计团队和客户都对整个设计感到很满意。KPF公司其中的一个目标是要吸引一般的网络用户（而不仅仅是建筑设计师）。他们希望网民们会把网站的地址发给自己的朋友说：快去看看！Berg骄傲地说：任务完成了！

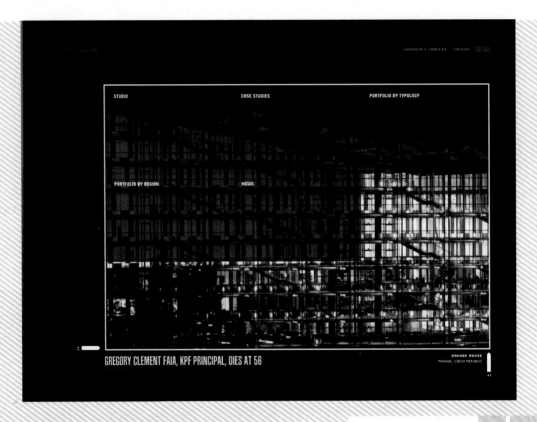

尽管包含了精确的线条元素以及黑色的背景，网页的浏览过程还是直观而简单的。上图显示了鼠标滑过相应方格时智能框的互动情况。

用户选择了一个A级链接后，智能框就会迅速出现在适当的位置。

我们大概花了十四周的时间去制作网站，但我们总共用了差不多九个月才完成了整个设计并把网站挂上网。经过一段看似"苦海无涯"的努力之后，我们终于做成了一个近乎完美的网站。而且你知道吗？我们爱它，尽管它还不完美。

Jeremy Berg，执行出品人

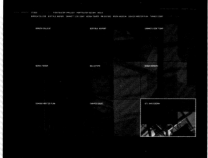

　　网页顶部的链接被很好地排列以适应显示器的分辨率，由此得来的机械感与建筑物的精确度及几何效果相符。

　　页面左侧的滑动条让用户能在众多A级目录中迅速找到自己需要的内容。字体由白变红说明该B级内容被选中。

　　公司形象部分沿用相同的设计理念。设计师用一个较小的方框来显示建筑师的照片。

25

月光电影院 2007 年市场形象设计

Studio Pip & Company | 澳大利亚墨尔本

"月光"这个词包含了各种各样的感情和感觉，包括寒冷的恐惧和虚幻的激情以及两者之间的林林总总。夜晚是神秘的，并带有一点小小的疯狂——许多的快乐，特别是有电影的时候。月光电影院是澳大利亚的一个全国性户外电影院。影院在包括悉尼和墨尔本在内的五个城市开展业务。Studio Pip & Company设计工作室的主管Andrew Ashton成功地设计了一组画报用以影院的市场宣传。图片所包含的超现实的城市童话般的特质对客户有着强大的感染力，并凸显了Ashton的工作方法。

轰动夏日
Summer
Blockbuster

BLINDED BY THE LIGHT
faces as icons / moon as spotlight /
summer colours / fading into the
light /

MOONSTRUCK
transformation when the moon
rises / vampires and werewolf /
shadows / people turning into
animals in the moonlight /

SUMMER MOON
celebration / summer feeling /
euphoria / light /

Moonlight
Cinema
06/07

MOONLIGHT GARDEN
people wandering / garden /
shadows / people becoming part
of or blending into the garden /

G
geometric shapes / patterns /
fluoro colours / energy / chaos /
people blending into patterns

MOONSHINE
airbrush / fantasy / glitter-glamour
world / dreamscapes / space-like
landscape

Moonlight Cinema 2006/2007 concepts
Prepared by Studio Pip and Co. in Melbourne
for Moonlight Cinemas, July 2006

整个设计的开始阶段，Ashton用标题的形式罗列他的想法，以页面（见上图）的形式展示出来，配以辅助性的图片。图片的作用是唤起共鸣并引起客户与设计师之间的讨论。客户很认真地参与了设计方向的确定过程。

> 我们希望客户能理解整个设计过程，这会帮助他们理解为什么我们要推荐某一方案。然后，有的客户面对过多的选择时会无所适从，在这种情况下我们会只提供三个备选方案。
>
> Andrew Ashton，公司主管

Ashton是这样描述他积累经验和想法的过程的："无论我走到哪里，我都随身带着素描本和照相机。有一段时间我几乎是疯狂地记录着我所经历的一切事物。时间一天一天地过去，我终于发现自己都是经历一些类似的创意，只是具体的情况发生了变化而已。时至今日，我仍然随身携带着素描本，但只有在特殊的情形才我需要用到它了。我们还经常思考一些别的问题、事件，然后记录我们的想法，以备不时之需。"

他接着说："这有点像一个'创意图书馆'，我还拥有一个收藏众多的个人摄影作品图书馆。"月光电影院的设计项目是充满乐趣的，Ashton说，而客户想强调的是：在一个特别的环境中看精彩的电影——"在这里你可以享受野餐，花园美景和精彩的电影。"Ashton为他标志性的设计展示准备了许多图片和文字的创意，这些文字和图片让他的客户能够参与设计的谈论。很多的创意都和"月光"有关——形状的变化、树林的概念、外层空间、花园中的影子，等等。

Ashton研究了一些先前保存的图片和一个旧的商标，这给了他灵感，这其中包括了与最终作品有重大联系的元素，更多的是设计的方向。

上面这些图片包括了公园场景、地理形态、透明的颜色，以及和夜晚有关的具有神秘感的图片。

设计融入了越来越多的元素，图片也变得越来越复杂。设计师用类似抽象派的方式融合平面图、照片、图标以及几何图形等元素。在这个阶段，Ashton提出了"树状头发"的创意。

这个想法源自一张照片，由于相框的选择不恰当，照片里的人的头发看起来就像树一样。由于这个概念很能体现户外电影"有趣"的一面，Ashton发展了这个想法，并提出了"树人"。

两个插图设计师开始按照Ashton的设计方向设计图片。

在这些创意中，一个关于"树人"的想法让设计师们回忆起一些拍照片的经历。"在公园里拍照的时候，我们很容易调整人和树的位置，让照片里的人看起来像长了树叶头发一样。我们进一步发展了这一想法。"

在作品完成之前，我们没有办法预计它的视觉效果。插图、照片和文字的最终结果往往能给设计带来特殊的改变。在构思阶段，我们提出意见，然而在任用具体的作家、插图设计师和摄影师之前，我们从来都不去描述我们的创意将会得到什么样的结果。

Andrew Ashton，公司主管

这些基于矢量的图片算是一个有趣的尝试，但在Ashton看来，这些图片都太冷太僵硬了。插图设计师交上来的很多图片都马上获得了通过。这些融入了高反差的质感、抽象派的元素以及色彩强烈的照片展示了一种折中派的、自然的和超现实的感觉。这正是Ashton想要的。

经过讨论之后，Ashton和他的助手们发展了"树人"的概念和恰当的促销明信片。树人的概念被选中了。"在确定使用树人的概念之后，我们请了两位插图设计师来理解这个概念。一个星期之后，第一个设计师宣布无法理解该概念。又过了12个小时，另外一个设计师寄来了他根据概念画出来的图片。"客户看了图片之后马上认同了这个概念。从那时候开始，整个设计过程就像机器一样运转顺畅。"客户认同了图片的灵性、用色和道具。接着他们又同意用6个不同的

角色。这些角色的具体设置也被通过并运用到明信片和海报上。"

月光电影院确保了每个需要的地方都有了很有特色的图片。Ashton通过Underware公司选择了Sauna一家。"Sauna对色彩很有把握，而且他的设计总是很严格并给人留下深刻印象，"他说，"而且他的设计看起来还很与众不同。"

照片里包含了几个不同的角色，每个都摆着不同的姿势。为了对这些图片进行加工，Ashton考虑了如何组合和安排这些图片，并融入了平面矢量定位和风景等早期设计的成果。

极端的缩放和充满活力的用色构成了这些生动的海报。这种异乎寻常的用色让观看者更能感觉到他们将拥有一次让人惊喜的经历。

照片元素和插图元素相混合让图片显得更有创造性，更与众不同，更令人印象深刻。这正是影院想要的效果。

> 到月光影院看电影是一件有趣的事，所以我们要用一种有趣的字体。现在有很多设计公司总喜欢使用一种颇受限制的灯芯体。我们会对这种习惯提出疑问，并提供别的选择。

Andrew Ashton，公司主管

高反差的构图也适
用于一些较简单的情况，
例如这件只有两个颜色
的促销T恤衫。

直奔主题：商业人士以坦荡和当机立断为荣。这两种特质在企业与企业之间的互联网互动中颇为重要，因为它们意味着可靠性和诚信。对于一个靠这种品质生存的企业来说，一个能传递相同信息的设计会让企业获益良多。同样重要的是在某一领域造成一种及时的让人感觉休戚相关的视觉影响。Zapp公司是金属半成品供应商中的领头企业。坦诚、当机立断、及时，以及休戚相关这些特质被融入他们新的公司标志中。这个标志是由Hesse Design设计公司设计的。

看得见的高科技
Visualizing High-Tech Competence

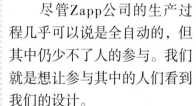

> 尽管Zapp公司的生产过程几乎可以说是全自动的，但其中仍少不了人的参与。我们就是想让参与其中的人们看到我们的设计。

Klaus Hesse，公司主管

位于杜塞尔多夫的Hesse Design设计公司曾经由Klaus和Christine Hesse担任主管。公司并然有序的经过良好组织的审美原则提供了Zapp公司所需要的机械般的精确度。Zapp公司委托Hesse Design设计新的公司标志，从公司运作的角度来说算是一次"摸着石头过河"式的尝试。Christine Hesse说："大多数同类的中型公司没有现代化的始终如一的标志。"Zapp公司很快就会发现Hesse Design设计公司的现代化设计方法注重的是一致性，而非重复和公式化。很多设计师会

试着为某个项目冠以固有的形式。

而Hesse Design设计公司则会做出慎重的反应，这种反应往往是带有整体性和目的性的。Hesse Design设计公司的设计师总会使用网格，总会选择更清晰的字体，颜色的选择也总是事出有因。他们的目的是"把它做好"——当Hesse Design设计公司的设计团队大功告成的时候，他们的作品一定能够经久不衰。尽管只有这样的清晰度，我们很容易就可以发现每一个设计都有自己的特点。Hesse设计的结构完整性从来都会影响

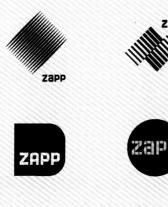

设计团队对Zapp公司标志的构思是一个合理使用方法和深思熟虑的过程。设计师们改变了公司名字的字体，并融入一些抽象元素，使设计看来简约而不简单。

通过研究不同的变化组合，设计师们知道他们要设计的是一个高清晰的、意义明确的标志。

客户的独特而自然的个性。Zapp的设计项目开始阶段主要是构思图标的概念。

根据Klaus提供的信息，Hesse的设计团队大多数时候都是用电脑来做草图的。设计师们会相互讨论并审查对方的作品，根据Klaus确定设计的方向，他们会高质量地完成每一个设计。即使他们决定不向客户展示设计成果，他们设计的版本都是已经完成的作品，无需任何修改和加工。由于这个原因，Hesse和他的团队要求客户给他们足够的时间进行设计探索。

Zapp公司标志的初期设计耗时九个月。之后Hesse向客户展示了三个设计方案。Hesse和他的团队很庆幸他们进行了严格的设计探索，因为他们需要满怀信心地去面对一些出人意料的变化。"一些我们之前不知道的细节迫使我们重新审视我们的设计过程。"Hesse说。结果Zapp公司选择了其中一个被选方案。

这一组设计说明了字母的笔画及字母内空与颠倒的负线元素之间的关系。有的设计师尝试把字母拆散，分布在一个轴心周围，再做成镜像效果。还有人试图在字母的各个转角处做文章。客户在回顾评审整个设计过程的时候选择了上面其中一个方案。

一个网格限定了笔画的浓度和各种转角的半径。

客户选择的标志展示了Hesse的技术以及对字母组合形式的理解。设计师把标志做在一个由许多小单元组成的网格上。所有字母的外角都按照特定的半径进行弧形处理。另一方面，内空的角度仍然保留，和外角形成对比，让整个设计显得有机械感。如图所示，整个组合中唯一的变形体就是字母"Z"。

Robert Zapp
Werkstofftechnik GmbH
Zapp-Platz 1
40880 Ratingen
Tel +49 2102 710-0
Fax +49 2102 710-200
www.zapp.com

直角和弧度之间的反差是标志的视觉语言的重要组成部分。另外一种处理方式是凸显字母内空与外部轮廓之间的反差，以及它们紧密相连部分的反差。

去掉"Z"的一部分让整个设计看起来协调一致，因为别的字母本来就有自己的内空。"Z"这个字母本身在结构上与别的字母不同，这样会让它看起来不会跟整个设计的风格脱节。

展厅的视觉效果是靠建筑材料来体现的。设计师选用的是一明一暗的两种涂料。

Hesse说整个设计很少有需要修改的地方。宣传册、年度报告、网站都很顺利地完成了。他说："我们更多的是对内容进行加工。"设计师用同样的策略设计和制作每个阶段。这种策略可以很好地解决问题，让设计的结果看起来像一件做工精美的家具。

"设计的有些方面是理所当然要做到的。比如说设计一张椅子，椅子要能承受足够的重量，要坐起来舒服。这些是永远不会改变的。所以做椅子的人会不断地重复相同的东西。但一张椅子到底是上浅色还是深色，做成金属质感还是陈年的核桃的效果，这就是创作的乐趣所在了。"Klaus和Christine说。

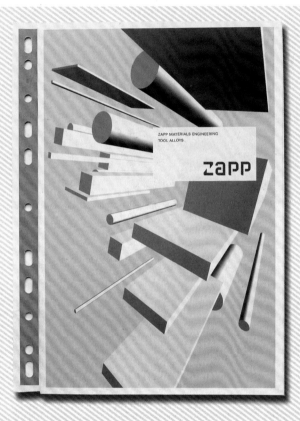

上图所示的设计运用了紧密的网格结构，结合了中性衬线字体和灰色系的几种有细微差别的颜色。根据记录在一本非正式的手册的大纲，设计师逐项进行插图和字体的取材和设计。

三维着色的插图和照片都是标志的亮度和线条特质的补充。

工人的形象为这张
精心设置的照片增添了
人文的元素。

27

《隐形小姐》一书的书套设计
Red Canoe | 美国田纳西州迪尔洛基

我们来说点
虚无缥缈的东西吧

We're Talking about What's Not There

Red Canoe是一个只有两个员工的小型设计工作室。这个工作室为有品位的客户特别是那些喜欢读书的人们，设计一些有品位的项目，因为近来图书封面设计已经成为他们业务的重要组成部分。在为Laura Jensen Walker的第一本小说《再造纳塔丽》设计了封面之后，Red Canoe设计公司又承担作者的下一部作品《隐形小姐》的封面设计工作。设计工作室的合伙人之一Caroline Kavanagh说："她有着睿智的写作风格，而她的作品都是关于一些人们不愿意面对的严肃话题。""由于封面设计的目的是为了书本的内容有一个恰当的包装，在这样的情况下我们就需要一个特别的设计策略。"在Kavanagh和她的搭档开始任何一本书的设计之前，他们都要把将要设计的书通读一遍。

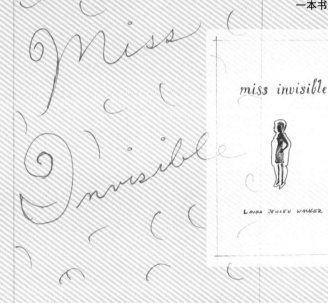

设计师对很多草图进行了加工，包括上面这个没有被采纳的设计方案。设计师放弃这个方案是因为它太望文生义了，意思是客户不会认同这个方案的。

另外一个方案是一幅"体重秤上摆放有一双拖鞋"的图案，则更切合书本的主题。体重秤刻度盘上的书名显然是在暗示故事的主角已经达到了"隐形"这个重量。

通常出版商会发给设计师一些"提示清单"，或者是市场调查大纲。大纲的内容包括目标受众，作者的影响力，或者其他一些读者可能会喜欢的书名，等等。"如果没有书稿，我们会去拿图样本章节，或者书本大意的介绍——任何我们能拿到的关于项目书本的资料。"Koch解释说。通过阅读，设计师们会列举出一些关键词。然后通过评估和讨论找出这些词和书本主题之间的联系。

"《隐形小姐》这本书的书名本身就提示了书的主题：人类和食物之间的二元性关系以及相关的严重的社会问题。故事的主角是个胖姑娘，她喜欢自己烘焙食物，是一个养育者，"Kavanagh说，"食物是有营养的，但过量的食物就会导致肥胖，而在我们这个社会里，胖的人似乎就是透明的。身材苗条的人看见胖子就会转移他们的目光。这又是另外一个双关——胖的人想不被看见都很难。这些想法组成了书本封面的设计概念。"两位设计师在设计封面的时候很少会用手绘草图。他们运用这种方法是把它当成双方之间一种高效的交流工具。

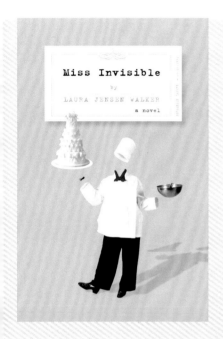

Miss Invisible
by
LAURA JENSEN WALKER
a novel

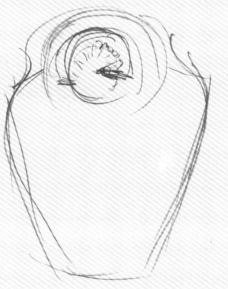

— Scale
doilie
card holder
cake plate
marker
label
cup w/ lipstick

miss invisible

A NOVEL BY

LAURA
JENSEN WALKER

> 通常我们都会准备三种方案。这意味着我们要确保其中的任何一种都是行得通的。但要我们不偏好三种方案中的任何一种，那几乎是不可能的。

Dek Koch，公司合伙人

尽管有些望文生义，另外一种很幽默的理解集中在故事主角烘焙食物的癖好上。用打印机打出来的标题看起来像一张收据。

"即使是在相互交流的时候，我们都更趋向于通过Photoshop作图来进行'对话'。" Koch说。"总体设计的起点是一张新的Photoshop图片。"如Kavanagh所说，随着她尝试不同的背景、图片和字体的组合，图层会叠加。"有时候做出来的图片会有太多的图层。"她说。当某个设计方向出现状况的时候，我们会把文件另存以确保原文件不丢失。

"有时候那些被仓促否决掉的创意反而能带给我们惊喜。"过了两个多星期，Red Canoe向客户展示了《隐形小姐》封面的三种设计方案。"在条件允许的情况下，我们更愿意只提供一种方案并由此展开设计。" Koch说。设计师是同PDF文件和电子邮件向客户展示他们的设计的。展示中包含了针对性的辅助文字以说明设计师的观点。设计师还在文字的书写上颇下了一番工夫。"经验告诉我们，对于一些人来说，字写得怎么样是很重要的。"Kavanagh说。

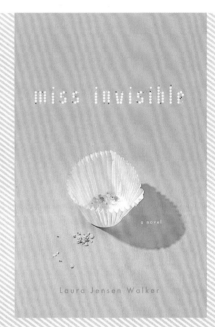

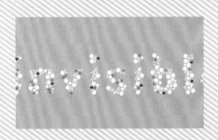

最终被采纳的方案采用了设计师的同事及长期合作者McArthur的图片。图片几乎抓住了故事的所有概念元素：食物、肥胖、营养、不可见性及其与可见性之间的二元性关系。（可以想象图片里还有一个隐形的纸杯蛋糕。）

设计的加工主要集中在背景颜色上。客户曾经担心这种碎雨点式的字体的清晰度。设计师首先进行简化书名的处理工序。他们采用了点阵式的字体，再加入颜色，让字体看起来有雨点落下的感觉。

他们还加深背景颜色凸显书名的白色字体。最终他们把组成字母的点扩大，并去掉它们之间的阴影部分。

在书名的印刷方式的选择上，从最复杂到最简单的转变过程也是从最直白到最抽象的过程。

封面的内容的对称性被阴影和碎蛋糕打破了，这也让整个蓝色的平面看起来更生动。

"他们看东西并不只是看表面，很重要的一点是他们能读懂其中包含的意义。另外一些人就不会去理解。我们必须展示我们的想法。"这个方案最终被采纳是因为它的含义很明确——不缺任何东西，也没有任何多余的东西。Kavanagh说："在向客户展示之前，我们自己做了一次评估，如果我们不问'为什么'，那很可能是因为根本不需要问。"

一张直白的图片和巧妙的书名处理明确地展示了书本的概念，但同时还留下了一点神秘感。"在我们看来，封面不应该告诉读者故事的所有内容。让读者保持一份好奇心是很重要的。"

我们需要为一个真实的文件设计一个形象，所以照片是一个明确的选择。同时，我们要专门拍摄图片以获得我们想要的那种简约的感觉。但预算不允许我们这样做。之前和我们合作过的摄影师Peter Mc Arthur有一种个性化的方法。这种方法处理出来的图片直接，干净，而又色彩丰富。

Caroline Kavanagh，合伙人

设计师在最终版本里加入了一些雨滴以增加效果。辅助性的Futura字体与点线结合的书名，还有纸杯相得益彰。

28

Wodonga市正在经历一次快速的发展。这是一个澳大利亚南部维多利亚省内的城市。2000年到2005年期间，该市的35000人口以年均1.8%的速度增长。直到近来，Wodonga市一直都生活在它姐妹城市Albury的阴影之下。Albury就在Murray河的对面。随着城市的发展，市政府决定要大力发展城市的旅游业、经济以及文化。因此他们委托GollingsPidgeon设计公司设计城市标志。一个定制的标志能够完全融入社区，成为这个正在蓬勃发展的社区的友好签名。它还用一种多姿多彩而引人入胜的视觉语言让历史和现实融会在一起。

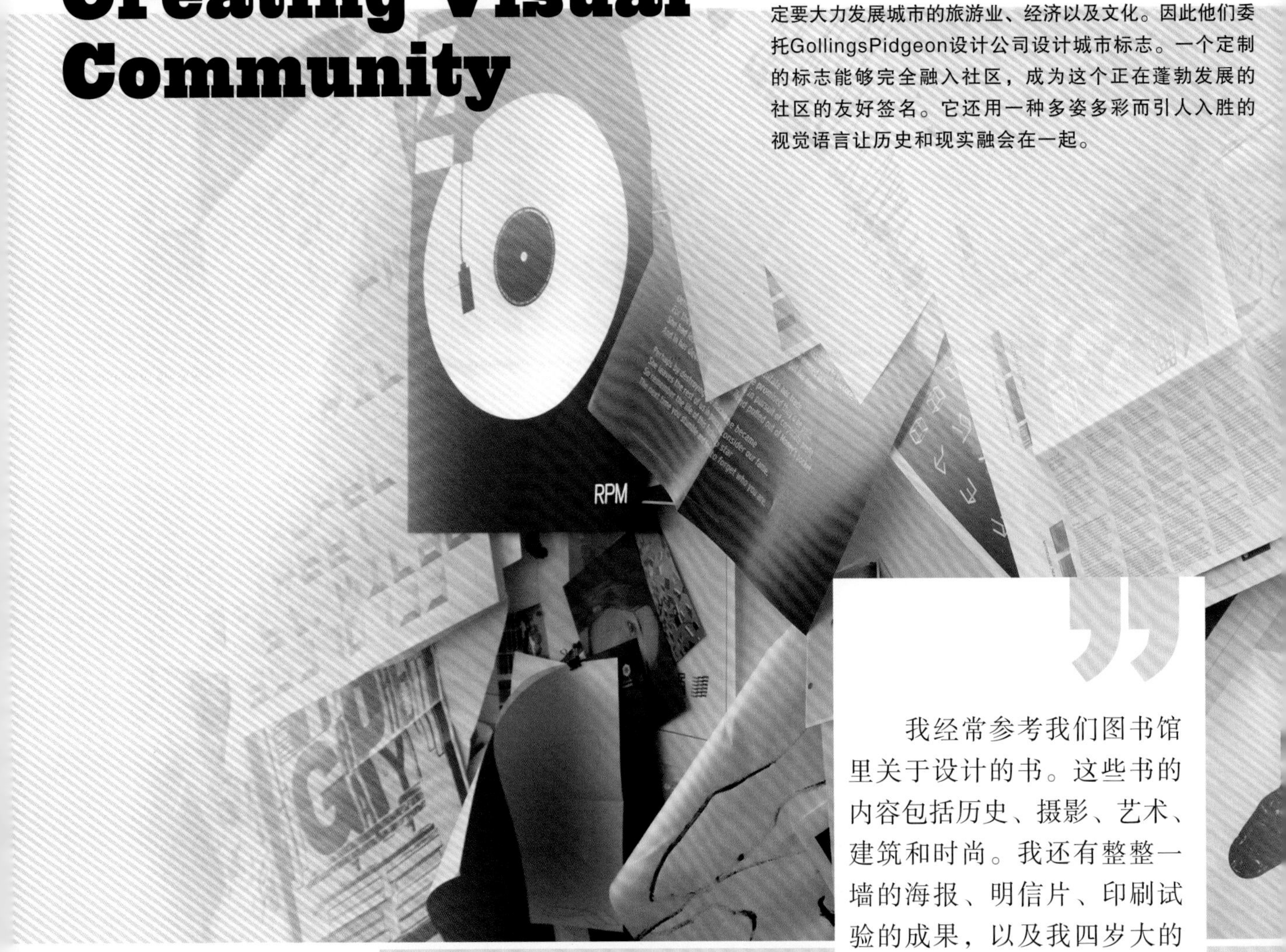

创造视觉社区

Creating Visual Community

RPM

> 我经常参考我们图书馆里关于设计的书。这些书的内容包括历史、摄影、艺术、建筑和时尚。我还有整整一墙的海报、明信片、印刷试验的成果，以及我四岁大的女儿画的图画。

David Pidgeon，公司主管

Pidgeon的笔记本里记录了大量关于城市标志设计的文字和草图。字体上的变形告诉我们同样的字母可以变化出很多种形状。这让设计师能够根据个人喜好设计整个结构以获得他想要获得的效果。

"这个设计展示很难做，因为每一个人都是听众，"David Pidgeon说，"因此我们需要用一种很灵活的方法去跟每一个不同层面的人沟通。"Pidgeon集中精力设计了一个包含城市名字的标志，这个标志给人以"联系"的感觉——它把整个社区联系在一起。用文字而不是符号或者图标作为城市的标志，意味着它可以被用于几乎每个场合。这样做还可以避免由于图片的选择而造成的政治或者文化上的问题。

"我们尝试着只提供一种方案，然而我们通常还会说明我们是如何通过思考完成这种方案的，这其中可能会包括一些备选的方案。在设计的开始阶段，我们把字母组合成传统的盾形徽章的形式，这种设计还跟给牛作标记的烙印有关，因为Wodonga拥有本地区最大的买卖牛的市场。这只是一个初步的创意，客户非常不喜欢，甚至不想让我们干了。"尽管那段经历很痛苦，Pidgeon仍然相信文字标志的方案只需要少许加工，但在用色上需要有很大的改变。

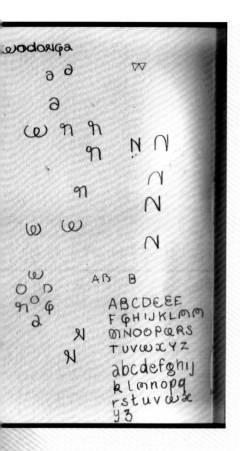

CITY OF WODONGA

城市标志的第一个版本基本上就是由城市名字的字母组成，其中"W"和"G"的字体有所变化。

草图展示了包括线状和三角形的字母组合设置的多种变化。设计师之后设计的这个版本的本意是要为城市设计徽章式的标志，不过这个方案被市政委员会完全否决掉了。

"这个标志最后选用的字体是我设计的一种叫菱形体的字体。这种字体是基于菱形的几何结构的，不包含水平的结构元素。我运用字体设计过程中学到的东西设计了Wodonga市的标志的构型。"Pidgeon在第二次设计展示时只展示用新字体构成的标志，整个城市马上接纳了这个设计。Pidgeon稍微调整了一下字体的构型，并制作出其他的字母。

然后在设计信笺的同时，Pidgeon设计出一种标志性的视觉效果来代表整个城市的各个方面以及各种活动。这些设计的灵感来自那个被起用的"牛烙印"的方案。这一次，设计师利用一些跟Wodonga市的文字标志有直接联系的线条元素把各种形象融入一种现代的表现形式，以展示Wodonga市的各种活动。这些形象既可以单独使用，也可以组合在一起。"当我们发展这一设计概念的时候，客户

要求我设计更多的形象去代表这个社区，客户还提出让设计师继续设计更多形象。"

设计得出的表现形式被轻而易举地运用于城市的各种机构，并可以随着不同的项目进行改变，这很好地保持了城市形象的一致性。

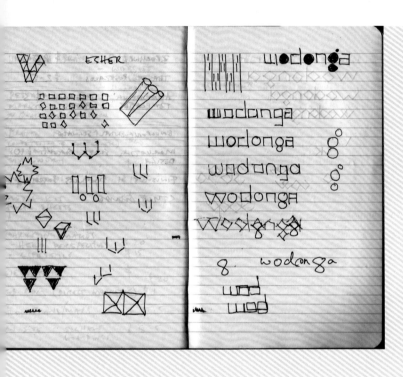

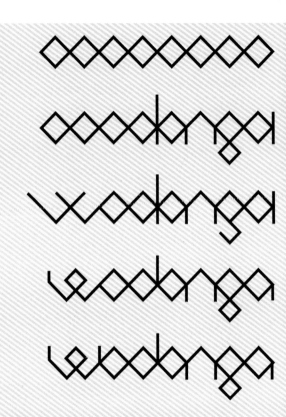

CITY OF WODONGA ◆ VIC

Pidgeon重新开始发展他的"显示结构间的联系"的设计概念，这让构图更加精细。他的草图让他想起之前为一个毫不相关的项目设计的字体菱形体。

Pidgeon把菱形体运用到这个更简单的结构

上，制作出一个字母之间相互联系的文字标志。

笔画之间的联系给人以手写体的感觉，造就了一个高度统一的标志——一个视觉上的整体。这里展示了从基础结构到字母构建的演进过程。

Pidgeon加大了笔画的浓度，并把所有的末端改圆构成了一个更为流畅的外部轮廓。这些改进不但增强了标志的整体性，还让标志不显得那么棱角分明，这样看起来更能给人一种友善的感觉。

abcdefghijklmnop
qrstuvwxyz!@#$
%^&*()-=+{}[]:;
><"',.?/ 1234567890

这个设计就是要制造一个能给人留下深刻印象的标志以强调社区内各种各样的联系。至于标志是Wodonga市的名字，倒不是我们首先考虑的。我在跟客户达成共识的过程中还遇到一些小麻烦，他们想要把字体做得更清晰，而我坚持要保持字体强有力的感觉。

David Pidgeon，公司主管

信笺的设计发展神速。文字标志配以黑色灯芯体被印在信笺的两面。信笺的背面印了一组夸张的图标形象，用色包括蓝绿色、紫红色、黄色和黑色。

客户认同了新的标志，Pidgeon开始发展标志的新的用途。他的第一步是设计信笺。基于城市名字里包含的字母的形态，Pidgeon开始投入精力制作别的字母。与此同时，他发现有些

字母的构型与他之前尝试的"牛烙印"的形态之间有许多相似之处。他又用同样的表现形式设计了一系列代表城市里各种活动的图标。

CITY OF WODONGA
ANNUAL REPORT 2004-2005

标志的构成决定它可以在各种情况下被灵活应用。它甚至可以被拆散并重新组合利用，就比如上图中的这辆垃圾车的装饰。

标志的网格结构可以作三维的用途，例如树根的覆盖物，以及公众艺术。由此人们还可以构成别的图案，如那个高压线标志上的盾形图案。

年度报告的封面除了用最初设计的几种颜色(紫红色、蓝绿色、黄色)外，还添加了别的颜色（橙色、紫色、绿色）。简单的用色让人觉得活泼而有趣，这又强调了标志和图标所要传递的友善的信息。

2P

2P

CITY OF WODONGA

我更愿意对一个方案进行反复加工而不愿意过多地改变设计方向。

David Pidgeon，公司主管

SPORTS
& LEISURE
CENTRE

SPORTS
& LEISURE
CENTRE

CITY OF WODONGA

标志本身对颜色的要求并不高。但在作不同用途时，人们往往会改变标志的颜色。例如这面旗上的标志包括了彩色和单色两种情况。

29

Calumet环境中心建筑比赛海报
Studio Blue | 美国芝加哥

鸟儿的钢筋水泥森林

This Building Is for the Birds

Calumet空地保护区是一个在芝加哥较远南部的湿地保护区。它却要出人意料地坐落在这个城市的工业生产区域。为了解决这个奇异的悖论，市政府已经开始了几个环保政策的提案工作，并构想在这个区域建起一个环境教育中心。城市的环保部门(DOE)为此组织了一个鼓励设计公司为这个新中心设计提案的比赛。设于芝加哥的Studio Blue工作室被指派设计吸引参赛者参赛的海报的任务。他们以建筑蓝图的语言描绘一个有着精美装饰线条、具有象征意义的鸟巢，由此激发对自然和人造环境的持续性和模糊性的讨论。

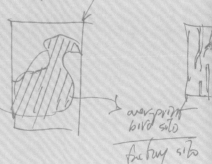

　　一系列早期的草图显示出对鸟的形态、植物和几何元素进行组合的强烈的直觉倾向。在已认知的事物上做文章使得后继的修改有很大的空间，同时使所表达的意思易于理解。

　　一些草图利用折叠海报本身的物理特征作为分裂改装工业和自然元素的手段。

　　正如这个系列的初期图式所示，从手动到数字化的草图制作使得更细致的图像并列构成得到实现，图例强调了图像组合的人工性，有的组合既有趣又令人瞠目，特别是戴着电焊面具的鸟以及蔓延枝丫的工厂。

工作室集体投入到这项设计中去。每个团队成员都被分配了任务——收集视觉资料或者详细研究客户的需要，然后团队进行"信息构思"会议。Cheryl Towler-Weese，作为工作室合伙人之一，形容这个过程是由几个人匆忙中制作快速的草图，就像是"赢，输或平手"的游戏。他说："有时候只有一个词，有时候是具象派的。我们最终得到的是一幅贴满主意的墙。它也许看起来什么也不是，但却捕捉到了这个设计想要实现的基调。"

Towler-Weese，设计师Tammy Baird和Garrett Niksch在那天的讨论结束后决定比赛海报应该有自己不同寻常的东西。"我成长于离即将建起环境中心不远的地区，因此我对那里的环境很熟悉，"Towler-Weese说，"在中西部的这个区域，自然和工业在惊人地并存着。"联系到中心即将建起的位置，在海报上再现这个主题非常合适。

对于类似海报或书本封面的设计，我们喜欢给出一系列的方案——有的保守，有的前卫，还有的介于两者之间。正如这份设计所采用的，当处理政府相关业务的时候，这种策略特别适宜。

Cheryl Towler-Weese，合伙人

在第一幅数字化的草图中，鸟是被探索的主角。这个动物的选择来源于当地知识，同时也是大势所趋，因为有很多种类的鸟筑巢于Calumet河沿岸。Nicksch和Weese用超现实主义的鸟和工业实验性的并置，交替着冲突与和谐。在一幅草图中，他们将鸟和寓意不祥的工厂配对，用戴着电焊面具的鸟的轻松方式来展现。

相关的指导思想还表现在把鸟巢作为一种建筑计划。为了明确表达的目的，初步的字体处理被添加进来。总体的概念和视觉质量是紧迫的议题。Nicksch和Weese共准备了三种版本。当Studio Blue工作室向客户展示想法时，他们会对观众说明调研和集思广益的过程。"这样会为客户看到即将被展示的东西做好铺垫。"Weese解释道。

> 因为这个比赛会吸引年轻的、有发展潜力的建筑师，我们希望海报能蕴涵暗语意味——包含一些你可能在第一眼无法捕捉的东西。
>
> Tammy Baird，设计师

在此阶段，设计师们主要在图像组合的排版上做文章。垂直的文字排列在这些实验中起到了这样的作用：作为鸟的斜向蹬腿的对照物，并比上一幅图例更隐晦地暗喻了烟囱。

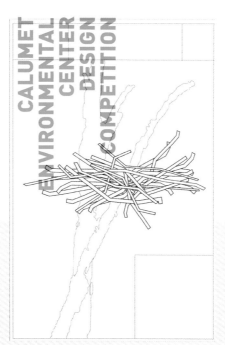

客户立即喜欢上了鸟巢的主题，但是他们有自己的想法：在树上的鸟并不是这个区域的品种，鸟巢的构造过于简单且不能够令人联想起苍鹭的盘结复杂的巢。客户还觉得地平线应该与工地附近的建筑更加贴近。

Nicksch和Weese考虑了这些要求，并在接下去的四幅新版本的创作中全面地推进这个设计概念。为了能让苍鹭巢和工业化的地平线的剪影令人联想到河边的特殊环境，他们对这些地点拍照并运用Scan Font进行轮廓描绘。

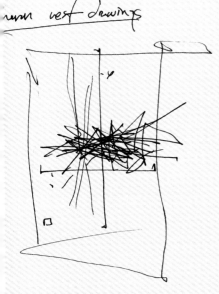

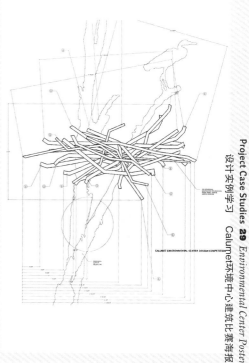

当设计师们尝试着将图片组合起来的时候，"鸟巢"的创意，鸟造型的建筑，重新出现在无数张草图上。在这些努力尝试中，设计师很快就探究出大小、位置、相对价值或密度。一张草图近旁的注释显示出把"鸟巢"作为蓝图或建筑图的强烈创意。

文字竖排的那张图是首先由计算机产生的"鸟巢"图之一，是从一张照片扫描得来的，并用CAD上色。实心文字的强度几乎超过图片的强度。

在图片上加上图表类的元素，强化了CAD透视图的空间尺寸感，使设计显得复杂，也使"鸟巢建筑"这个概念更为明晰。以方形为基础的空间的交错，将树和"鸟巢"的造型包容在一个坚固的结构中，强化了其建筑性的特质。

最后一张设计图中，设计师运用柔和的蓝色渐变效果来帮助中和海报的直线性，也增添了更深的空间感。设计图上加上鸟形轮廓进一步明确了主题。

Scan Font是一个为专业研发字体而使用的数字化手绘图软件,利用它制作出自然中心即将建起的外环境中的元素极度精确的矢量轮廓。为了使图像更具建筑感意味,我们用CAD软件三维化了鸟巢(苍鹭的"房子")。"所得的结果是个最为怪诞的蓝图,"Niksch进一步解释说,"你在海报上看到的三维图形是按真实比例缩绘的。"

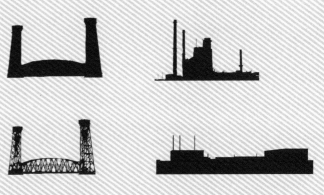

我们喜欢多样性的表达方式。它能传达比字面更多的意思。

Cheryl Towler-Weese,合伙人

设计师通过引入象征未来中心所具有的工业传统的人造地平线,进一步拓展海报。在对自然环境的描绘中,特征性至关重要。

Studio Blue工作室的客户对他们是否能够很好地呈现出可以精确反映工地特点的工业建筑群非常在意。工作室于是不得不根据不同的摄影材料,无数有关诸如谷粮仓的比例和工厂窗户的正确数目细节进行电话联系沟通,对每一个元素进行了好几次的重画工作。

把总体色系由原本的蓝色改为绿色使海报更为温情,并强调了它与环境保护的紧密联系。

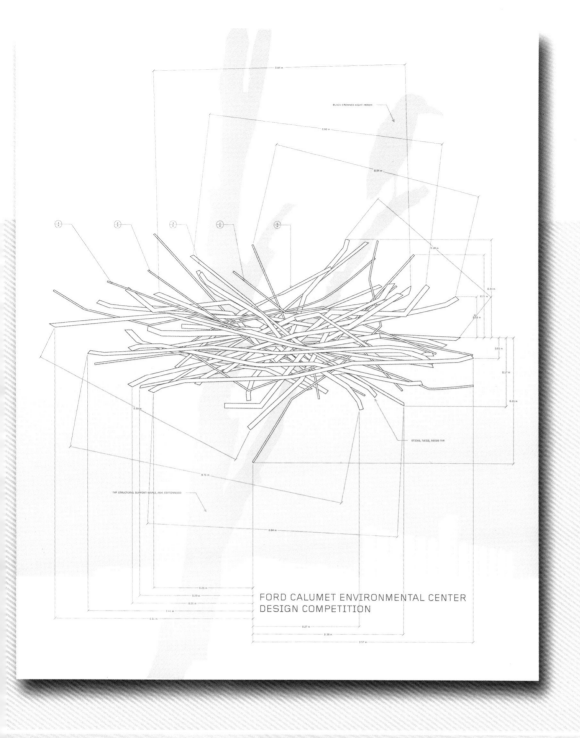

FORD CALUMET ENVIRONMENTAL CENTER
DESIGN COMPETITION

　　背景空间的逐步增大强化了由颜色带来的空间深度。用单一颜色充填树和鸟的剪影营造出视觉的中间地带。对鸟巢伸展到前景仍作保持轮廓的处理。

　　对图表线条保留使用红色能使它与鸟巢的图像区分开来，由此两个元素都清晰可见。选择深红色能对用在树、鸟及背景的暗绿色起到互补作用。

　　运用复杂的绘图元素，通过一系列精心设计的连线格式，能制造出一种震撼但微妙的空间分离。例如，树枝主干的轻微倾斜被它分支的偏右向上及缓慢上升的工业建筑群所抵消。

　　虽然开始会被密布的线条所迷惑，不对称的空间停顿使得决定性的不同间隔有强烈的底片形态。把字体全部设置为大写字母，用纤细有角度的sans serif font能在视觉上连接字体并表现物的线性特质。

30

瓶子再设计：Shango牌朗姆酒

Wallace Church,Inc. | 美国纽约

上等奢侈烈酒并不是什么稀罕玩意儿，特别是当你想到有那么多的高档伏特加在市场上竞争销售。单单从视觉水平上竞争吸引力曾经有效，但是当林林总总的烈酒品牌竞相披上亚文化和生活方式的外衣时，视觉就退居其次了。Shango是一个辣味朗姆酒的品牌，它以神秘的酒文化吸引目标人群的追随，可是并不是人人都为它的故事所动。为了达到这个效果，这个品牌需要从一个新而有力的角度进行包装。Wallace Church公司，一个纽约的策略性品牌打造及包装公司为此进行研究并成功地发现了这个角度。

深远的，神秘的，沁人心脾的

Deep, Dark, and Delicious

原先的瓶装过于复杂：线性的感触，在红色表面上采用全白的印刷，使得消费者很难分辨图案和字体。此外，选择的表现元素也无法成功地捕捉到品牌试图唤起的标志性深度和神秘感。

客户希望保持红色作为酒瓶颜色。因此Wallace Church公司的设计师们将他们的大多数实验品都以此色系设计。红白配的颜色组合作为正确的视觉元素被保留，这也正是Shango的颜色标志。

Shango在萨泰里阿教是一个神秘的人物。萨泰里阿教由一个从非洲来的奴隶带到古巴的教会。由于与天主教的冲突，萨泰里阿教被迫地下进行，但是它仍保持其在加勒比海地区强有力的精神和文化影响。"Shango为很多人所认识并推崇。"公司主要负责人Stan Wallace解释说。

各种变量的集合(比如朗姆酒是在古巴酿造)决定了品牌的主要信息——由一个神的名字命名——它瞄准非洲和拉丁美洲都市年轻的顾客群的市场定位。这个品牌努力地创建自己和目标消费群文化根源的联系，同时表达出浪漫的力量、神秘以及原始性欲。

现有的酒瓶设计，除运用了不寻常的红色外，只提供了一个凌乱不全的伪非洲式插图。不仅拥挤的细节混乱不清，更坏的是它可能被认为具有讽刺意味：一个提基式样的主题和包括树叶、长矛、头盔和假冒的"部落"排版。除了有好的味道外，品牌缺乏的是真诚和情感。

新主题的范围包括直接与Shango和萨泰里阿教相关的象征性图腾——双刃斧和朗姆酒，到更为普遍的约鲁巴文化的图腾例如面具，甚至包括超出加勒比海文化的象征性概念，例如长无止境的毒蛇、血和烟雾，以及包括涂鸦、数码结构和说明性的图像的现代感图像。虽然后边这些概念被客户认为与Shango的神话关联不大，但在别的方面它们也是有价值的。

虽然与客户的要求相违背，Church的第一直觉是酒瓶应该是黑色的。如此，才能表达出Shango与夜晚的联系，也才能体现萨泰里阿教更为晦暗和神秘的一面。这个深色的外表同时可以令人联想到约鲁巴宗教被奴隶贸易带到古巴的复杂的历史背景。与预想相反，客户认同了Church的直觉和酒瓶的黑色设计。

Wallace Church公司的设计师们从客户提供的各种资料和图像中精选了与Shango有关的故事并开始着手新概念的草案。这项设计需要在相对迅速的时间内完成，从开始到推出只有六个月的时间，因此研究资料的数码化非常迅速。客户要求设计师们保持酒瓶原先的红色，因为红白颜色通常被视为Shango的标志。

大部分的探索都是为了使Shango品牌与约鲁巴传说通过图像有效地联系起来，例如使用双刃斧、公羊角、面具等。Stan Wallace作

为公司的主要负责人和公司的团队一同做出了十五个不同的创意。

其中一个创意与客户的要求有悖。"虽然通常Shango以红白颜色包装呈现，我们强烈的感觉到黑色更能传达故事的神秘性和晦暗性，"Wallace说，"见到设计样板后，客户马上同意了黑色酒瓶包装。"

在黑色酒瓶上有一个醒目的红色脸谱，它几乎类似面具但更为模糊和诡异，仿佛有被围困在瓶子里的生物从瓶子深处往外凝视。这是一个由优雅的衬线字体标志、简短

的描述性说明、在顶部的精致斧头标志组成的神秘、简练但蕴涵激情的酒瓶设计。客户对此很满意，几乎没有需要再作修改的地方。

字体印刷上的细节很快就得到了解决。由于预算所限，脸谱是在公司内拍摄并数码化完成的。为了保证在复制酒瓶时也可以保持质量，制作过程包括了对照片厚度和锐度的调整。

当客户同意酒瓶的设计后，几乎没有什么必要的改动。一个抽象的标志取代了Shango以前的标志双刃斧，在瓶底的字体也被稍微放大

了一些。全部采用大写字母的排版间距加大以取得更好的辨识度。表现燃烧煤炭的红点同时被添加进来。

创作精力被集中投入作为设计重点的谜样的红色脸谱上。对不同的模特拍了很多实验性的照片，他们有的是白种人，有的是美洲黑人，有的脸上带有彩绘，有

的没有。高对比度的灯光效果可以营造出最有雕塑感的质感，使得脸和面具相似度增强。图像的制作采用了电脑软件。

Shango的商标采用的
是略为改动的Percolator
字体。不同的地方在字母
的轮廓，包括"S"夸张
的蜿蜒，以及对其他字母
比例和细节的特别的略微
变化。

31

Pigeons International表演宣传海报

Thomas Csano | 加拿大蒙特利尔

作为成立二十周年的庆典活动之一，蒙特利尔的舞蹈表演公司Pigeons International组织了一个由曾经演出过的三个剧目组成的多媒体表演，这将是由Paula de Vasconcelos编导的地球现状的三部曲。约三年前，剧团第一次演出此剧时，图像设计师Thomas Csano曾为第一幕Babylone创作海报。现在，Csano又将为这个三部曲设计新的宣传海报。

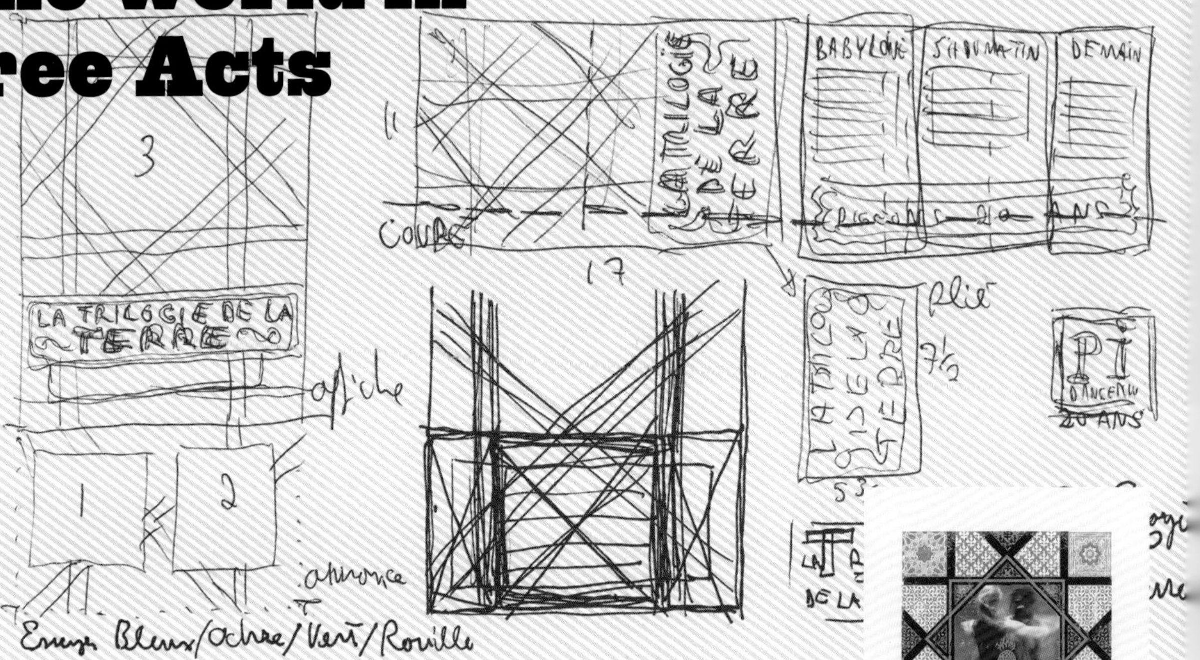

世界历史三部曲

The History of the World in Three Acts

在为Babylone设计的海报中，Csano通过对瓷砖图案及四角网格的运用实现了和中东文化的联系。

在三部曲的初稿中，Csano营造了一个由根据Babylone海报原始设计所制作的微型海报所组成的三部分的几何空间。虽然这个创意能使表演的三部曲性质清晰地表达出来，但它并不能捕捉到由包括三部分标题所彰显的此次演出的深刻含义。

Csano希望以玩味"法蒂玛的手"作为设计中心形象。但客户认为这个创意过于抽象，他们要求Csano运用艺术家的表演照作为创作元素。

地球三部曲中的每一场表演都是为了探索世界历史的一个时间阶段：过去、现在和未来。表现的主题包括演变、自然、人类的胜利和灾难。

Csano在内容为关注于过去的Babylone海报设计中，采用了异域情调的字体、图案及灵感来源于摩洛哥式瓷砖的网状图形。他回忆说："我创作出中心及对称的网，并运用了由在古老文明中发掘的图形元素启发的图案效果。"在应Pigeons要求回顾这个视觉主体时，Csano不愿意老调重弹，但同意他需要可以创作与旧作共鸣的东西。"这并不是我所希望的，"他说，"但是我必须实现它。"因此，他并不需要像第一次那样建立创作方向，相反，他需要重新审视并使之与新剧产生联系。

在对Babylone海报的创作中，Csano所要做的是与客户讨论，集思广益，想出双方都认为可行的主题。对于Csano来说，这是他典型的工作方法，对公司客户也是如此。

被客户要求采用的图像包括四角的网状图案形式。图形被象征太阳的标志所重叠，借此把音调特制协调地融入整个图案中。

图案形态是古老文明的表现。

Thomas Csano，主要设计者

讨论结束后，Csano将最初的手稿迅速转入数码构图。"我首先在头脑中构思出几乎完成的作品，因此当我真正开始着手工作时，草图通常都与最后作品非常接近，"他说，"我一边创作一边修改。设计在对同一文案的修改再修改中完成。"Csano通过对客户展示改动继续这个合作的创作过程，但展示通常不会超过三次。

在这个新的海报中，几何的网状图被作为主要元素沿用，图中心会放置照片。网的线性元素被加强，标题被放大并被下移，将占据海报底部三分之一的位置。采用的字体略为朴素但带有岁月痕迹的质地感。海报通过一系列有标志意味的事物传达含义，例如：经历时间的质感、图案、曼陀罗花纹、几何布局以及照片内容无声的叙述。

颜色的关系和相对饱和度几经调试。主色调选好后，在每一组变化图中颜色会被略微地偏移。例如，在最初实验中，红色是偏冷的，把它调至偏蓝色，就得到了相近于淡紫的颜色。在另一组变化图中，红色和橘色相近是偏热的，由此与没有那么饱满的蓝色能产生联系。所有的图都采用了相对柔和的黄色。

和颜色一样，设计师为了表现出最强烈的相关性质，对中心网状图案和标题的位置也进行了变化调试。根据黄金比例，把格式拉长使中心网图和整个设计的关系更为和谐、精确。拉长的格式能使包括照片的中心网构图向上移，同时使标题移至下方。通过调整，标题便在海报上下部分间制造出一个强大的水平空间。

这幅照片就仿佛一扇现世的窗口。它揭示了男人和女人间的冲突，年长和年轻的双重性。暗示着两者间的沟通可成为对未来的探讨。

Thomas Csano，主要设计者

DESIGN EVOLUTION 完成设计

最终的色彩设计偏离原先的所有色彩成为与褐红色与金色相近的颜色，所有的蓝色成分都被剔除。在四角的图案被中心的一幅图所取代。

一段意味深长的叙述被照片中两个处处相对的人物表现出来：男、女，老、少，前倾、后仰。

32

2007年Sundance电影节标志
AdamsMorioka,Inc. | 美国加利福尼亚贝弗利山

点燃完毕
Ignition
Accomplished

独立制片运动在美国的爆发很大程度上得益于Robert Redford的远见。Robert Redford是一个演员、导演，也是致力于支持好莱坞制作室以外院线的Sundance协会的发起人。在犹他州帕克市举行的年度Sundance电影节为新生电影制作人提供曝光机会，也为电影发展的讨论提供了论坛。数年来，坐落于加利福尼亚贝弗利山的AdamsMorioka公司都被选为负责捕捉这个影展创新精神的工作室。工作室的主要负责人Sean Adams和他的团队对这个年度创意充满热情，并对电影节卓越的文化仲裁者地位及其在保持严格的审美标准上起到的重要作用深有了解。"大多数的独立电影节都会陷入追求完美千篇一律的俗套，"Adams说，"但是Sundance绝对不应该过于做作。"在数月的辛勤努力后，2007电影节的标志闪耀登场，呈现似出天成、极具感染力的元素性图像。

Sense of Possibility   Sundance Studios AdamsMorioka

每一个概念板都记载着这个概念的名字。这一块叫做"可能性的感觉"，它展示了这个概念可以怎样通过一系列的假设并列的图拓展开来。

"可能性的感觉"概念运用了由不同元素催化作用的典型电影构图。

一个被提议的关于期望值的概念，描绘了电影帐幕遮盖和揭示在电影节期间可以看到的场景。

"我们从我并不漂亮的手画图开始着手，虽然它们几乎不可能被看懂，"Adams说，"同时，我们从以往的作品中寻找信息，用数字方法解决排版和字体的问题。"

对AdamsMorioka来说最初的探索阶段是最具挑战性的。直接和协会理事Robert Redford和Jan Fleming，以及Sundance的内部小组一起工作，令AdamsMorioka的设计师们很难解读并优化处理大量的已获信息。Adams注意到，在讨论2007电影节的时候，

Redford非常坚持传达社会概念及诉说制作独立电影的艰难的设想。这些想法为设计提供了焦点。

更头疼的是，这次构思过程相对漫长并倾向于和以往的内容重复。"因为我们已经为电影节作了五年的设计，要说明白探索在哪一年停止又在哪一年开始会变得很难。如果一定要我为这个设计的探索过程作个时间表，我觉得它大概持续了三个月。"Adams说。

这个设计需要的不仅仅是创作一个形

象，同时也要能帮助鼓动在场地周围的五万人。例如，媒体对电影节曝光度的影响，设计团队要关注的事项随着构思过程而增加。设计虽然是为了电影节的直接感受而由电影业内人士、支持者及相关人员所创作，但图像必须迅速清晰地对报刊或电视的受众传达主要思想，因为大多数人有可能只是从新闻或是报刊一角接触到它。

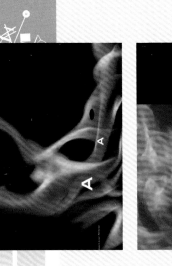

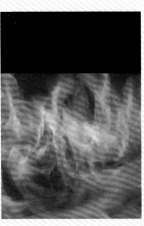

这个创意提出以有趣的鸟的拼贴画作为严肃概念化主题的替代品。一个冬天主题的创意玩味以电影工业人物和器具组合成各种雪花图案。

当遇到极具创意感的客户，最好的方法是分享多种创意，然后淘汰至只剩最终的统一意见。这样能防止不可避免的理解分歧问题。

Sean Adams，主要创作人

这个叫做"点燃"的创意，表现的是燃烧的火焰以不同的姿态爆炸性地传递开来。由方向感暗示的激情、强度及创造力很好地捕捉到了Redford的想法，Sundance的市场开发部也非常赞同。

为今年的探索，由项目艺术指导Volker Dürre以及设计师Monica Schlaug和Chris Taillon组成的Adms Morioka团队钻研了往年探索的概念并将它们往新的方向发展，同时也重新创作出新鲜的想法。Sundance有用硬盘系统保存的资料可以方便参考。除此之外，工作室也保存有可以在之上进行创作的形状、颜色创意和视觉仿制品。最后，团队设计出了将近75个创意概念，分批地展示给Redford和Sundance团队作决定。"最不堪入目的都被淘汰了，"Adams调皮地眨眨眼睛，

他解释说，"展示这样大量的作品原因是因为Robert Redford的设想才是最重要的元素。作为一个杰出的电影制作人，他和Jan Fleming一起，总是有可以提升创意的洞察力。"

每一个创意概念都与注释一起被展示在一个大的黑板上。注释包括创意想要传达的信息以及它怎样被运用到例如节目单的电影节印刷品上。有的概念被不断地研究因为新的想法不断涌现，有的一开始就被否定但会被记录在案作为以后的参考。

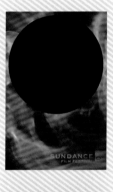   

 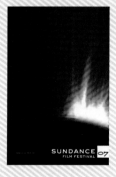  

在得到认可后，设计师们开始为点燃图像的语言下定义，同时决定火焰的姿态。这些粗糙的草图构想了一个从最初的爆炸中燃起的球体，它参照了太阳但不是实体的再现。

这些图像探索与火焰相关的环状领域。但视角和剪切都过于明显地暗示了日食的日冕，而不是一个闪耀着的被点燃的物品。没有固体的图像不能被清楚地认定为火——它有点像皮毛——点燃物的缺失使点燃这个概念无法呈现。

点燃的感觉在这幅图上得以被捕捉，但固体物过于模糊导致它的形状不能使人认清它的身份作用。

在详细的讨论后，最终，火焰概念作为主要图像被认定能最好地传达2007年电影节的主旨。作为一个元素的创意，它暗示了能量以及创造的冲动，也使人联想到就像是篝火带来的仪式和召集的概念。"我们集中注意力在火的能量特征上，而不是它毁灭性的一面，"Volker Dürre解释说，"着火的物体不会被显示出来。也没有燃烧的影片或其他图像元素来干扰信息的传达。"

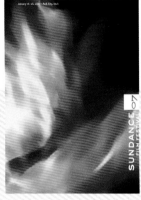
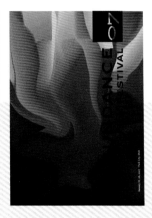

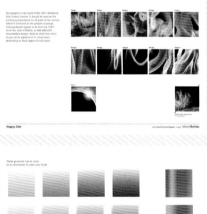

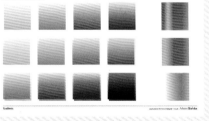

点燃及火焰图像最终被一个画家所绘制，他成功地画出了设计小组所想要的必不可少的点燃、闪光和扇动的火焰动态。为了避免对创意负面的理解——毁灭，燃烧物体不能被显示。注意力应该集中在火焰而不是火源。

设计小组研究出怎样剪裁火焰的完整的方法，以及对颜色、纸张材料、排版的指导方法。这些都在方法指导中得以列举说明。

标题被设定为根据Hellenic Wide字体特制的slab serif字体。Hellenic Wide字体是古老的金属字体，源于Bauer铸造厂。这里的改动体现在字体的延展及对它们水平向节奏的强调。被轻微压缩比例的Sans serif字体被用来印制大量复杂的信息——电影简介、时间表、致谢名单等。压缩的宽度与标题的字体形成对比，它同时具有一系列的宽度、斜体，迎合了文章中细节等级的需要。第三种字体Boton被作为中间的字体，作用于从延伸的显示到压缩的sans serif的视觉过渡。因为它具有统一宽度和压缩比例的slab serif字体。设计师们发明了第二种宽度以提高排版颜色的灵活度。

接下来是为期两星期的设计修改，主题几乎没有被改动。设计小组将火焰的创意与由拉长的Slab serif得出的特制的Hellenic Wide字体结合起来，因为它稍微西方的感觉以及与Sundance电影节标志比例相似。Section字体，因其在字重上的通用性和多样性，用在信息性的文字上。第三种字体Boton被作为中间的字体，用另一种字重以提高使用灵活度。

设计修改也包括对颜色的运用（绝大多数是暖色调）、结构创意（网状结构的使用）、电影节标志的位置及图像剪切。

"质量及技艺是所传达信息必不可缺的一部分。每一个元素，从某簇火焰的弯曲度到印刷体和标志的比例关系都经过精雕细刻，" Adams接着说，"这个由顶级艺术家——在Killer Paint工作室的Mike lavallee——创作的插图就是一种象征。照片永远也

无法达到这样鲜明的轮廓或是满足大尺度作品的分辨率。除此之外，插图使我们可以控制火焰，实际上真实的火焰是很难控制的。"

除了筹划复杂的时间表和落实活动内容，根据电影节的传统，还有出版物和相关产品需要展示其信息和形象。

几乎是荧光色的红、橙和黄，纸张材料被用作单色附属物件，例如门票和这里显示的文具（信签和信封）。

故事被一点点揭示，当读者一页页阅读，
经历巅峰和低潮最终结束在一个清楚的结
局。有时几幅火焰的图像同时存在，它们代
表不同的独立电影导演的不同观点。

我们在哪里找不到网状
图？没有它，我甚至过不了
马路。

Sean Adams，主要设计师

火焰形象的原生态
性质使得视觉化这个概
念可以变化无穷。火焰
的每一次出现其独创新
意绝不重复。在概念上，
这是一个与Redford和
Sundance电影节对于独
立制片的预想极为吻合
的信息。

DESIGN EVOLUTION　完成设计

在不同页码里的连续图像展示，表现出电影特有的感性。设计师们由此安排出版物内容的节奏。例如令缓慢增强的火焰遇上突然爆发式的火团，向上或向下移动格子周围的火焰动态来呼应里边的文章内容和图画元素。

所有的出版物都以柱形网状的形式印刷，格式比例在格式指导中有说明。这样就保证了迅速的排版和比例节奏的一致。

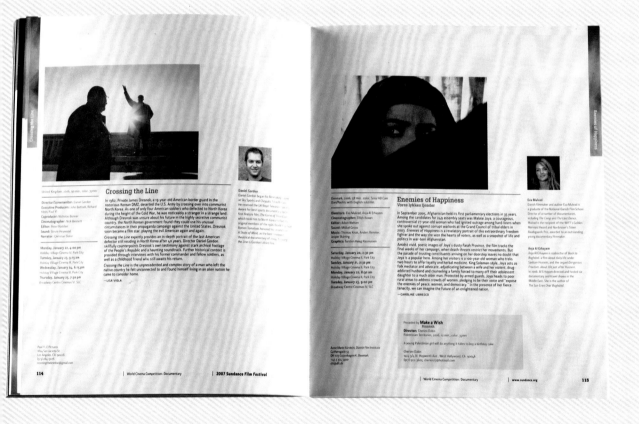

在白色为主导的书页里，火焰主题以明亮的色块形式继续。这样可以使读者同时感知到文章内容及电影节主题。

几乎所有的附带出版物都有红色字体的运用。它实现了文字和中心视觉元素火焰的联系。黑色的板块代表暗淡的电影院，瞬间被象征独立电影魔力的爆发的火焰照亮。

33

2006墨尔本设计节标志
Studio Pip & Company | 澳大利亚墨尔本

挑战一个定论，
或者五个

Challenging
an Assumption...
or Five

Andrew Ashton是一个定律颠覆者。他的很多作品凭借复杂糅合的象征符号、设计和隐喻，对已有的如设计教条、流行的视觉时尚、商业迎合、极简主义等设计观念形成冲击，也与本书中列举的一些所谓"定律"背道而驰。所幸的是，这个标新立异的方法被那些"定律"以及能打破它们的有建设性的技巧无可争议地支持着。澳大利亚墨尔本年度设计节的管理委员会于是怀着又惊又喜的心情将2006年设计节标志的设计任务交给了Ashton。统一在"发光"这一主题下，墨尔本设计节的标志展现出奇异的主题交融。而这些都是在Ashton的充满个人烙印的创作中常见的设计。

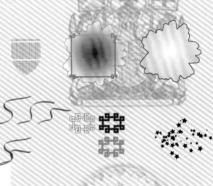
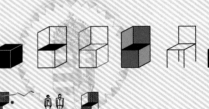
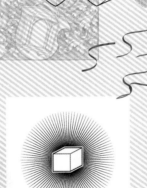
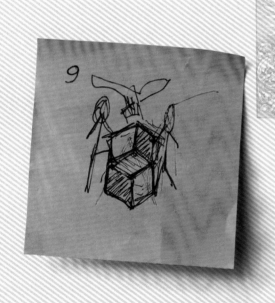

Ashton的创作过程由寻找呈现设计节的主题"发光"及与现代设计有关的议题的方法开始。那些议题包括：权力、历史影响力、拜金主义、政治、美学、性别平等。

Ashton受澳大利亚保守党派以及在政府交流中运用纹章工具来实现国家象征的启发，设想出一个现代感的盾徽。Ashton在这个方向的研究使他获得了可以进行实验的大量的象征性元素：丝带、盾牌形状、盾形徽章、臂章；代表

权利的动物，如公羊、鹿和狮子；具有神秘力量的藤蔓和植物；武器，等等。值得注意的是在概念上，盾徽使人联想到古老的标明身份和品牌的方法。

被画在粘贴纸上的盾徽概念草图经受住了讨论会的考验。它呈现了最基本的对盾和与纹章学象征物相关的螺纹面图案的安排。

"在创作过程中我经常使用牛顿第三定律,"Ashton隐晦地说,"每一个物质改变都会有与之相对的反应。我希望能通过对设计作品观众的了解去明白影响他们行为的原因,由此延伸出可能的创意。"

除了庆祝设计行业的现状,墨尔本设计节的目标是加强公众的参与度,强调设计是他们日常生活经历中的一部分。Ashton对时尚潮流及其对大众潜意识的影响非常敏锐。他同时对它们的来源、价值和效果进行质疑。

"最新的电脑软件提供了描绘复杂色调图案的能力,因此,全世界突然涌现出很多三维模型的公司品牌。为了抵抗这股潮流,工作室对这个庆祝活动的图案不依赖现代精致的科技调色,而是以视觉艺术技巧实现一个复杂的图像。"

故意以此事先就决心已定的叛逆创意工作是Ashton使用的对抗陈词滥调和实现突破的策略。Ashton认为设计节需要一个令人眼前一亮的标志的想法是基于一个假设:在有很多设计节的情况下,可能参会者会有所选择。而选择的唯一依据就是会展的形象。"越是老套的会展形象组织者想要涉及的主题就越可能是陈腐的。"Ashton说。

Ashton对例如测径器等可能的形象元素进行了变形实验,以此探索可能的效果及在这个特定情景下的最好结果。

Ashton的研究结果协同一个精致的电脑绘图制作的纹章学的概念,将对未来发展的认同很好地传达给了客户。

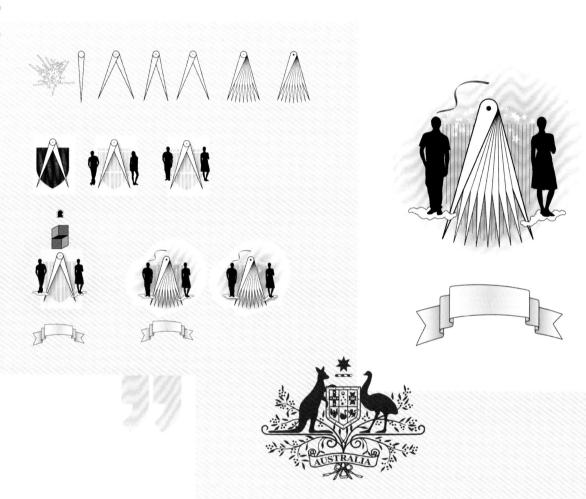

大部分观众都自认对现代设计了如指掌。我们于是想呈现一个从未在此领域出现的新奇图案,以此对他们的想法进行挑战。

Andrew Ashton,主要设计师

一些潜在的图像元素,像Mason的圆规,都经过了一系列的研究,Ashton尝试了多种变化来看哪一种最有可能,哪一种在特殊情况下最为适合。

一张经过完善修改的徽章创意的电脑草图,配合着Ashton的尝试,将这种创意非常好地传达给了客户,得到了客户的认可,从而进行进一步的设计。

Ashton在两个阶段展现创意（参照案例25）：首先，讨论大概的想法，接着便在前次讨论的结果上修正。"当设计往前推进，我们会分关键阶段进行，"Ashton说，"这些阶段有助于确定最后的选择。有时当一个想法已经被挖掘完毕，我们会发觉在前一个阶段它的表达会更好。有时一个崭新的想法会从另一个已经耗尽灵感的想法中来。"

在"发光"主题的基础上，Ashton在初始阶段的探索灵感来源于澳大利亚近期的政治保守主义和政府推行的臂章作为国家象征的政策。Ashton喜欢纹章象征的创意——一种古老并广为人知的标志方法。这个创意可以作为载体，承载Ashton对此主题更复杂更进一步的想法。

"设计节的功能是将人们的注意力吸引到设计上来，"Ashton解释说，"一个由设计本身激发灵感的臂章是一个好想法。"因为设计本身涉及无数的学习及实践、教育、社会问题、科学、沟通和美学领域，Ashton于

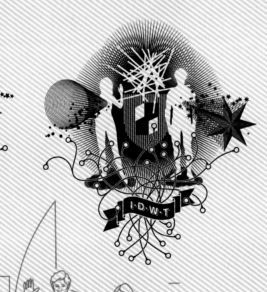

在盾牌两边的大物形象被更换了。新的人物形象来源于Carl Sagan在1970年推出的为VoyagerI设计的象形星际人物形象。但在Ashton的版本中，是女性而不是男性摆出打招呼的姿势。

针对当今流行的利用三维制作标志的潮流，Ashton对自己的臂章设计设定了限制：它只采用高对比度的、可视觉再创作的格式，不用连续的色变和斜度。臂章朝此方向的演化从最初的标志性元素简化到只

有黑白两色的格式：一个线性的发散式光团，线性结构，溅射的星星，一个盾牌的形状，一个藤蔓伸展的白球体，两个人形及有徽章的绸缎横幅。从后文可看出，这个构造明显是从澳大利亚的臂章汲取灵感的。

一个伸出的星形被添加到结构的右边，由此平衡由伸出的同心圆造成的左倾斜感。同时藤蔓也被放大了。

是设计出与中世纪纹章图案一样的包含图记
和象征内容的臂章。臂章被象征主义所充斥，
从碎片主义到性平等。一个破碎的星形，发
射状的线条，以及藤蔓伸展的发光的球体相
互烘托强化了设计节的主题。

在得到客户认可的情况下，修改的阶段
进行了一个星期。原设计的细节得到了处理：
书本气但诡异的线性字体Dolly被选为设计节
的印刷体，色彩也被精选到最后两种。这些
都是对那些所谓精美大制作的嘲讽。

设计节标志印刷全
部采用小写体，并像臂
章一样经过球形扭曲的
处理。

在最后的调整中，
整个臂章被过滤变形以
取得球形扭曲的效果。

34

ARQ（Murcia考古学博物馆）标志设计项目

LSD | 西班牙马德里

废墟中的现代之旅
A Modern Journey among the Ruins

为博物馆创作视觉信息时最常见的困难之一，就是有被历史拖累的倾向。于是不能将历史带入现代，与观众的视角合拍。保守、过度的学术性身份通常于它想要实现的价值——使历史为今人重现并引起他们的探索——背道而驰。与此相反，这所博物馆的图像设计在对这座西班牙城市的艺术工匠保持尊敬的同时，也为现代艺术馆参观者提供了生动的经历。这些都要归功于来自位于马德里的LSD工作室的Gabriel Martínez和Paz Martín。

la misma "m" desplazada.

MAM
MUSEO ARQUEOLÓGICO DE MURCIA

MAM
MUSEO ARQUEOLÓGICO DE MURCIA

MAM
DE MURCIA MUSEO ARQUEOLÓGICO

MAM
MUSEO ARQUEOLÓGICO DE MURCIA

MAM
MUSEO ARQUEOLÓGICO DE MURCIA

MAM
MUSEO ARQUEOLÓGICO DE MURCIA

MAM
MUSEO ARQUEOLÓGICO DE MURCIA

当设计师们开始对标语探寻时，来源于博物馆收藏的大量的古代伊比利亚陶器绘制和雕刻的图像被展示了出来。破损陶器的主题，它隐含的碎片的暗喻，以及由考古学重现的含义都是初始研究的内容。设计师们研究了把缩写字母拆开的想法。

就考古学的历史方面，博物馆的收藏为设计师们提供了丰富的材料资源。木尔西亚是一个历史悠久的城市，位于西班牙可斯塔巴兰卡旁，这个博物馆拥有从公元1900年起伊比利亚仿制品的大量收藏。时间跨度包括从土耳其人的后期生活时期到当今。由当地特有的红橙色黏土制成的陶器在收藏里很丰富，这便是设计师们马上对它产生兴趣的原因。

他们最初对排版标记的调查主要集中在使用不同的使人联想起碎片的构图来缩写MAM——Museo Arqueológico de Murcia。参考罐子、桌子和其他物件的形态，设计师们把字母分开，创造出考古学拼接时空的感觉。这个概念在后来的延伸性设计中也非常重要。

他们的第一个提案却是有关于博物馆名字的。"它太过于正式。"Martínez说。在考虑该怎样吸引公众的注意力并把参观博物馆变成有趣的经历时，他们意识到正在使用的博物馆名字会起到反效果。"我们提议了一个不那么正式的名字：ARQ，它可以很容易就转化为轻松熟悉的词。"

设计师提议把博物馆的字母缩写从枯燥沉闷的MAM修改为更具有现代感的ARQ，它能很直接地表达博物馆的性质。

Martínez和Martín也展示了对标志类似的想法。博物馆接受并同意了这个创意。

字母ARQ具有不同的形态，A是有角度的，Q是有弧度的，R在它们之间仿佛是个过渡。从角度到弧度的转化提供了一个强烈的内在逻辑，这种复杂程度是MAM结构所不能实现的。

出人意料的是，博物馆大胆地同意了这个想法。设计师们于是用新的缩写字母重新回到原先创作出的主题。在第三个月尾，LSD展示了他们推荐的标志——字母ARQ设置为现代感线性字体并有节奏性地破碎开。创意再次赢得了博物馆的赞同。

现在，LSD将他们的注意力转移到标志图样及包括文具的附属物上。陶器花纹再次成为灵感源泉。很多收藏品上都画着代表古

代日常生活的图案，如动物，狩猎的人，一些标志及装饰性几何主题。这些元素似乎都很适合做文具装饰，但Martínez对这个取向保持怀疑。他希望能避免枯燥陈腐的设计。"我们想要改变对考古收藏以往的看法，添加入例如发现、乐趣和学习的概念。"他回忆说。他和Martín也开始在照片图案中寻找有更现代感的东西。

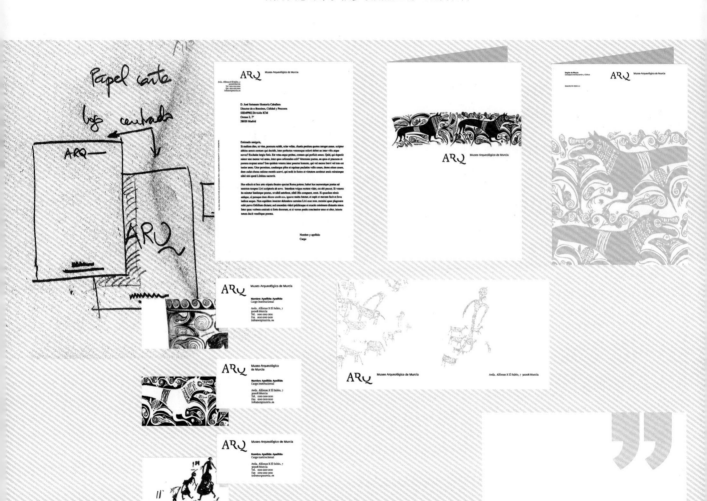

从陶器里直接取样，让与陶土红和褐色相似的色彩组合。紧密相连的颜色在数值上很相近但温度不同，从偏暖到偏冷（从黄色到红色）。

文具的开发显示，设计师们在确定使用陶器的绘图后，怎样探索为文案组织的一个接一个的排版。在最终的名片设计上，城市的徽章被用来衬托主要内容，而ARQ的标志和陶器绘画被单独放在背面。信笺

前函头有城市的徽章在ARQ记号旁，陶器绘画被放置于信笺底的水平横幅中。这两个设计中的字体元素的结合关系值得注意，同样值得注意的还有这些元素怎样将空间有比例地分隔。

> 我们的目标是铺设出一条始古通今的学习之路。从对物件的理解及它们所传达的信息中，博物馆参观者将了解当地人曾经是怎样生活的。

Gabriel Martínez，合伙人

　　对海报最初的研究集中在排版的创意上，由从陶器上精选的陶土颜色的图案构成。决定性的纹理绘画的组成采用有节奏的字体结构。

　　Fedra字体被采用，serif及sans-serif格式都被使用。过去和现在于是被统一起来，增加视觉同一感，同时也给质感变化创造可能。字体的细节令人联想到古老的图画印刷的风格。

　　小写"i"的一点是一个旋转的菱形，它给字体带来雕琢感；在球状和杆状间打开的接合，例如小写"b"所示，则带来古老字体的感觉。

　　设计师开始察觉所有的设计运用变得过于熟悉甚至乏味，因此舍弃字体的方向转而研究起照片。这个实验主要研究物品及相对不确定的颜色。照片都是没有经过改动的档案性文件，在基调上和陶器绘画很像。

　　设计师们最后决定采用这些虽然简单却具动感的图形组成，以及相对应的过于机械和单调的印刷颜色。

受标志的碎片形式启发，同样的方法也许也可用于图像中。

设计师们发现，简单地把一个格式上下分成两半与标志里的横轴结合得很好。每个空间都可以容纳不同的图像，或者元素可以从不同部分间通过，加强它们间的直接联系。在文具上实验这个创意马上证明它过于花哨，但在更具宣传性的场合上也许可行。

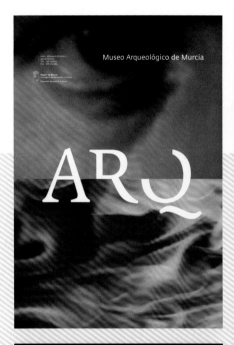

在下一个海报研究上，设计师把格式分成两半，将ARQ标志居中。上下部分各自独立，制造过去和现在的联系在设计师看来非常重要。一系列的图案组合为如何造出这个概念上和视觉上的联系而实验。不同图案在上下部分的并列组合能明显地影响表达效果。

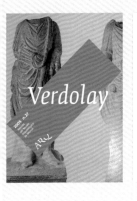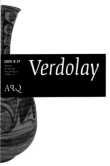

Martínez和Martín对博物馆的新闻宣传单使用了和海报及文具相似的步骤。从照片开始发展，然后是加入陶器图案的严格排版。陶器本身同加入颜色与讲述博物馆信息的内容相区分。

同时，设计师们也在设计标志和其他材料。与海报的设计方向呼应，他们的标志研究从实例图像转入合并照片。在评估这个创意之后，他们决定把陶器的绘画及与之相关的颜色运用到标志中

去以建立起博物馆自己的视觉语言。这与为市场传达和广告而运用摄影图像的方法有别。

字体采用的是由Perter Bilak设计的Fedra，有serif和sans serif两种形式。这使得它在功能和风格上有很大的灵活性。设计师们被这种字体吸引还因为它表现出一种与他们的创意相似的概念，"完美的古今结合。"Martínez这么说。颜色选择包括当地陶土颜色的丰富的大地色系，加上黑色和浓重的蓝色，于是完成了这个创意。

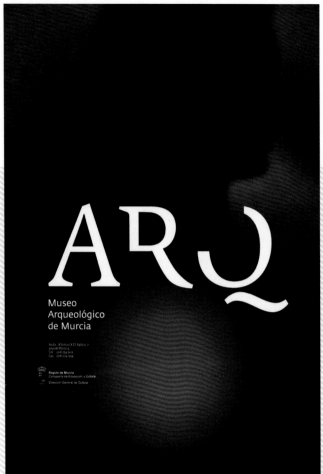

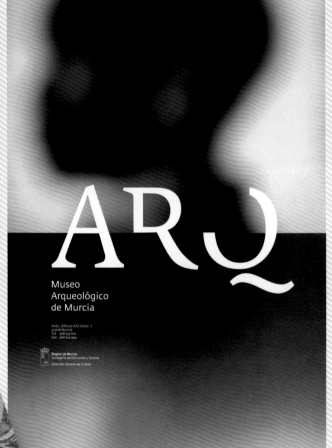

最后的海报将图案带入了一个更为超现实的空间，让观众自由发挥想象。这个创意实现了设计师们想要吸引公众参与及吸引他们探索考古学的目标。

宣传海报使用了对比色联系并强调了构图的水平分割和字体。颜色被柔化，图像也变得不清楚，造成一个谜样的场景，同时反衬出僵硬的白色和强硬的字体线条。

ARQ   Museo Arqueológico de Murcia

ARQ

Región de Murcia
Consejería de Educación
y Cultura
Dirección General de Cultura

Nombre Apellido Apellido
Cargo institucional

Avda. Alfonso X El Sabio, 7
30008 Murcia
Tel.   968 234 602
Fax   968 204 994
info@arqmurcia.es

ARQ   Museo Arqueológico de Murcia

2
Salón de actos
Biblioteca
Taller de restauración
Academias

1
salas
Ibérico a Paleocristiano
sala
Exposiciones temporales

0
Salas
Prehistoria a Edad de Bronce
Sala
Usos múltiples
Administración

-1
Almacenes

Salón
de actos

Biblioteca

Taller de
restauración

Tienda

Salas
Prehistoria
a Edad
de Bronce

Sala
Usos
múltiples

Administración

Sala
Exposiciones
temporales

↑
Salas
Prehistoria a Edad de Bronce

←
Sala
Usos múltiples
Administración

↓
Tienda
Aseos

0

↑
salas
Ibérico a Paleocristiano

→
sala
Exposiciones temporales
Aseos

1

使用与收藏本身
直接相关的图像和颜
色的方法被证明是很
灵活的。可以单色使
用例如在文具上，也
可以单色变化例如在
标志上，或者多色并
列使用例如在手册和
T恤衫上。

El Museo Arqueológico de Murcia
te propone un paseo por la historia
donde se evidencia la evolución cultural
de las distintas sociedades que se
sucedieron. La relación del hombre con
el entorno, sus estrategias de adaptación
y la explotación del medio donde habitaba
dan las claves de la evolución.

un paseo por la historia

Este viaje comienza con la aparición
del hombre y termina en la edad
del Bronce. El recorrido de las salas es
cronológico intercalándose salas temáticas
que muestran aspectos importantes
de la cultura como el arte, la tecnología
o las creencias religiosas.

La segunda planta está dedicada a los
dos periodos culturales más importantes
y mejor documentados en la Región
de Murcia, el mundo ibérico y el romano.
Objetos significativos que muestran cómo
era la sociedad, la vida cotidiana, su
relación con otras culturas y sus creencias
y manifestaciones artísticas.

Región de Murcia
Consejería de Educación y Cultura
Dirección General de Cultura

ARQ   Museo Arqueológico de Murcia

Guía español

35

Swansea水边博物馆公共艺术项目
Why Not Associates、Gordon Young |
英国伦敦

工业时代的巨石，
一个坐的地方

Machine Age
Monoliths...
And a Place to Sit

形式、功能、地形和历史，都在这个为威尔士海边城市Swansea工业历史博物馆设计的公共艺术设计中体现了。作为一个曾经的有影响力的海港，这个城市的历史遗产涉及造船、陶瓷生产、矿业和世界上第一个铁路运营。这些丰富历史被博物馆里大量的工业品收集所记录呈现。博物馆的建筑为建筑公司Wilkinson Eyre设计，简洁的造型使人联想到20世纪早期的工业时代。创作一个与公众交流的环境造型的任务于是落到了伦敦Why Not Associates以及他们的合作伙伴艺术家Gordon Young身上。

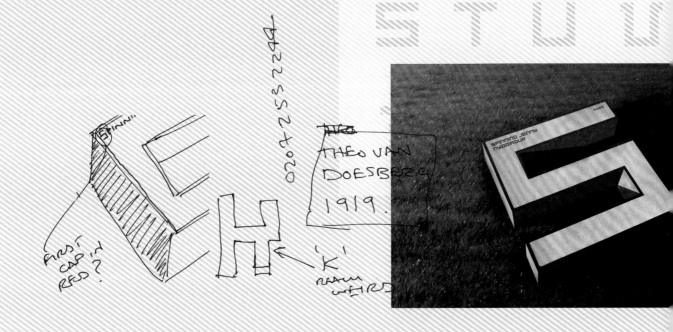

早期的草图中，注意力主要集中在能反映地区工业历史及博物馆建筑风格的方形sans-serif字体上。第一个提案呈现了全部的字母，每一个字母上都有一个以英语和威尔士语书写的博物馆收藏品的名字和编号。每一个包含内容元素的单独的字符都被二维平展图和电脑制作的实景三维图所展示。红色的字母缩写造成对比并回应了博物馆的建筑细节。

为期两年的工程由Why Not的合伙人及领衔设计师Andrew Altmann与Gordon Young一同在纸上画草图开始。虽然Why Not一贯采用电脑设计模式，但他们的美学根基还是手工制作。这可以从他们最近的相似的涉及石头、玻璃、黄酮印刷的公共艺术作品中看出来。

早些时候，Altmann和Young的注意力集中在排版的概念上。首先，它不会使博物馆和某个特殊的图案联系起来。其次，设计师们可以将威尔士语融入其中，这是弘扬地域文化的有效方法。最后，由水泥和不锈钢铸造的纪念碑造型可以供游人作坐椅使用。

从建筑形态和它影射的荷兰风格派运动得到灵感，Altmann选择了一种有几何结构的字体去反映博物馆收藏的内容。两周后，在草地上放置字母的提议被以示意图和电脑制作的实景图展示出来。"我们尽量只呈现我们有信心的那一个创意。"Altmann说。

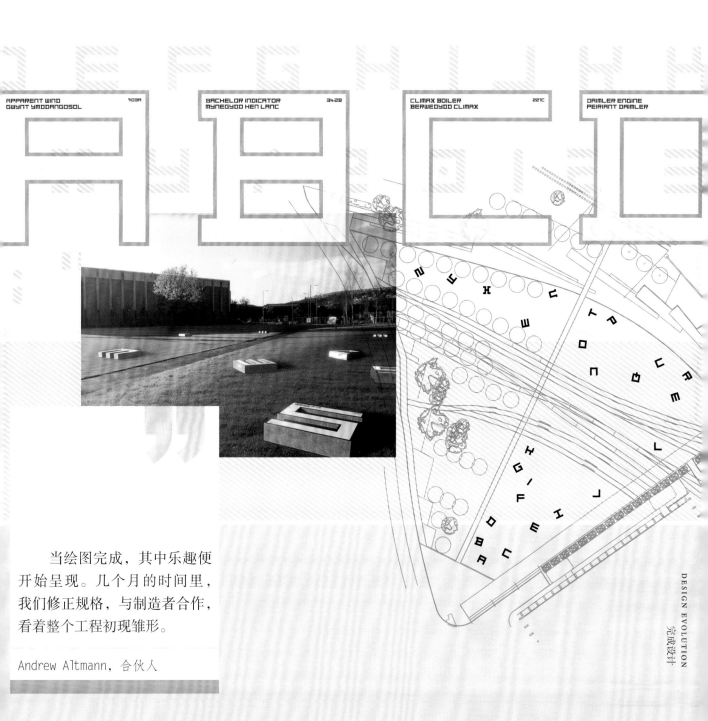

当绘图完成，其中乐趣便开始呈现。几个月的时间里，我们修正规格，与制造者合作，看着整个工程初现雏形。

Andrew Altmann，合伙人

委员会审核设计提案后马上同意了这个创意。但是博物馆的建筑师对设计有小小的分歧——字母不该偶然分散地坐落在草地上，字体也不好。"我们同意他的观点。当然我们原来还考虑到了花费的因素。没有曲线，那么便宜很多。"Altmann回忆说。

在几回合的回顾之后，设计师们选择了一种由A.M. Cassandre在19世纪30年代创作的叫Bifur的字体。"再一次，字体与工业相关——Cassandre和他设计的交通海报，"

Altmann强调说，"还有，字体的设计让我们可以创造出更加封闭的坐椅造型。"他们还决定使用一个标语替代原来的分散字母。标语的线性几何结构能呼应博物馆建筑环境的特点。

委员会、Altmann和Young同意了用Pobl+Machines作为标语。Pobl是威尔士语里"人"的意思，标语联系了当地人和城市工业历史。当标语得到通过，一个为期两年的计划、绘制、制作及安装工程便开始了。

被修正后的字体Bifur有和原字体相似的工业感，特别是它的几何形态和戏剧化的相对空间感传达出很强的力量和精确感。曲线元素的出现与有棱角的笔画形成反差，因此使整个设计更有感染力。更妙的是，字母的阴影部分暗示了一种两层的结构，这种结构可以为坐椅提供靠背及封闭的空间。在开始建造前，三维空间电脑透视图帮助调整了坐椅高度及与整体的比例。

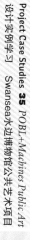

对比左边的电脑绘图和在上边的制作模型可以看到标点的改动。Bifur字体里的加符号（右边）被认为与其他字体相比过于复杂，并且可能造成误解——是"N"还是"C"?设计师于是选择了一个加号"+"，它的简单笔画更能与其他字体相同时更易看懂。

在模型得到客户的最终通过后，每个字母以实物大小就开始被金属灌注。这个工程的巨大规模可以从人站在两个字母模型间的对比看出来。

小的字符从金属板上挖出并放入底座的表面，用水泥浇灌固定。粗糙和光滑的表面在大小范围内相对应，创造出质感丰富的体验。

完成、运输、安装
这些字母坐椅需要一个
小型部队和重型机械的
帮助。当这些字母终于
被妥善放好并打磨光
亮，这个工程便终于完
成并在Swansea公众前
闪亮登场了。

艺术家Russell Coleman制造了最后实际大小的字母。他们的框架材料是钢，由水泥灌注表面的细节字体。陪衬性字体用的是Edward Johnston1916年为伦敦地铁设计的sans-serif。字母的巨大体积被光滑反射的钢质外表所中和。有斑纹的水泥表面为平滑的表面增加了微妙的质感。

设计得到客户的强烈肯定。对于当地人和旅游者来说，它也是个很好的休息的地方。

> 与Gordon Young合作意味着我们可以相互补足。在一起，我们能达到我们任何一方都不能独自实现的高度。

Andrew Altmann, 合伙人

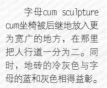

字母cum sculpture cum坐椅被后继地放入更为宽广的地方，在那里把人行道一分为二。同时，地砖的冷灰色与字母的蓝和灰色相得益彰。

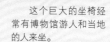

这个巨大的坐椅经常有博物馆游人和当地的人来坐。

孩子，加油！
Yodel-ay Hee Hooooo... OOooohhh Yeah, Baby!

设计的乐趣之一就是它能让设计师研究一些他们从来没有想过会接触的领域。这些领域有的非常有趣，有的则不然。Mixer工作室的设计师Erich Brenchbühl就有幸接手了为在瑞士卢赛恩Aeternam剧院上演的新剧制作宣传海报的案子。"新的设计新开始。"Brenchbühl说，他不会像其他一些设计师那样保留以往的设计图像。对于这个海报的设计，研究的领域已经超出了以往普通的范围。

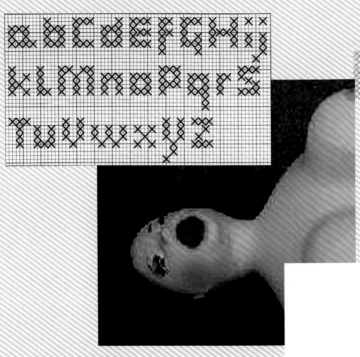

Brechbühl对图像资料的深入研究使他了解到一些他可能从来不会认识的人。

> 我的创意是要联系起现代元素和传统手工艺。

Erich Brechbühl，主要负责人

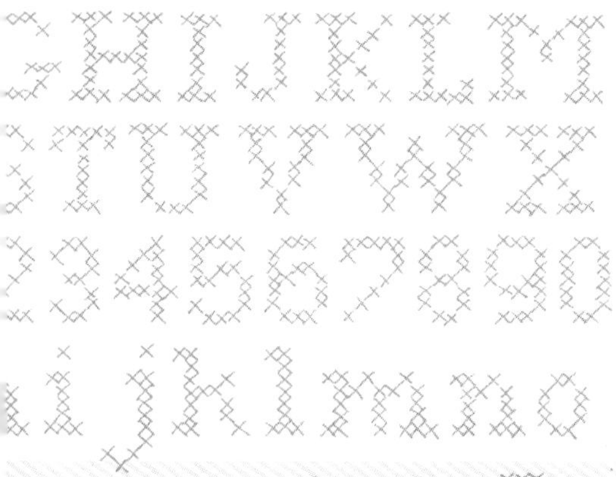

他所要为之设计海报的剧目讲的是两个寂寞的山地人制作他们自己的吹气性玩偶。Brechbühl立即决定要在海报中使用剧中人物发明的图像。"我觉得这样很直接，"他说，"我想要以一种简单的方式展示这个剧目的内容。"

但是他不确定怎样才能把这个创意以一种有品位的方式呈现，最有可能的就是用直观的方法。为此他收集了很多吹气玩偶的图像，通常是从网上下载。可是下载图很小，他于是不得不购买了一些。

最重要的问题就是要建立人形的比例以及怎样准确地再现细节。"玩偶和真人的身材有很大的差异。"他解释道。在图画上要把玩偶而不是真人表现出来，就必须抓住玩偶独有的姿势，比如肩膀的形状和它有特点的面部表情。

读过剧本后，Brechbühl开始用铅笔画草图，制作小图片，以此发展思路。

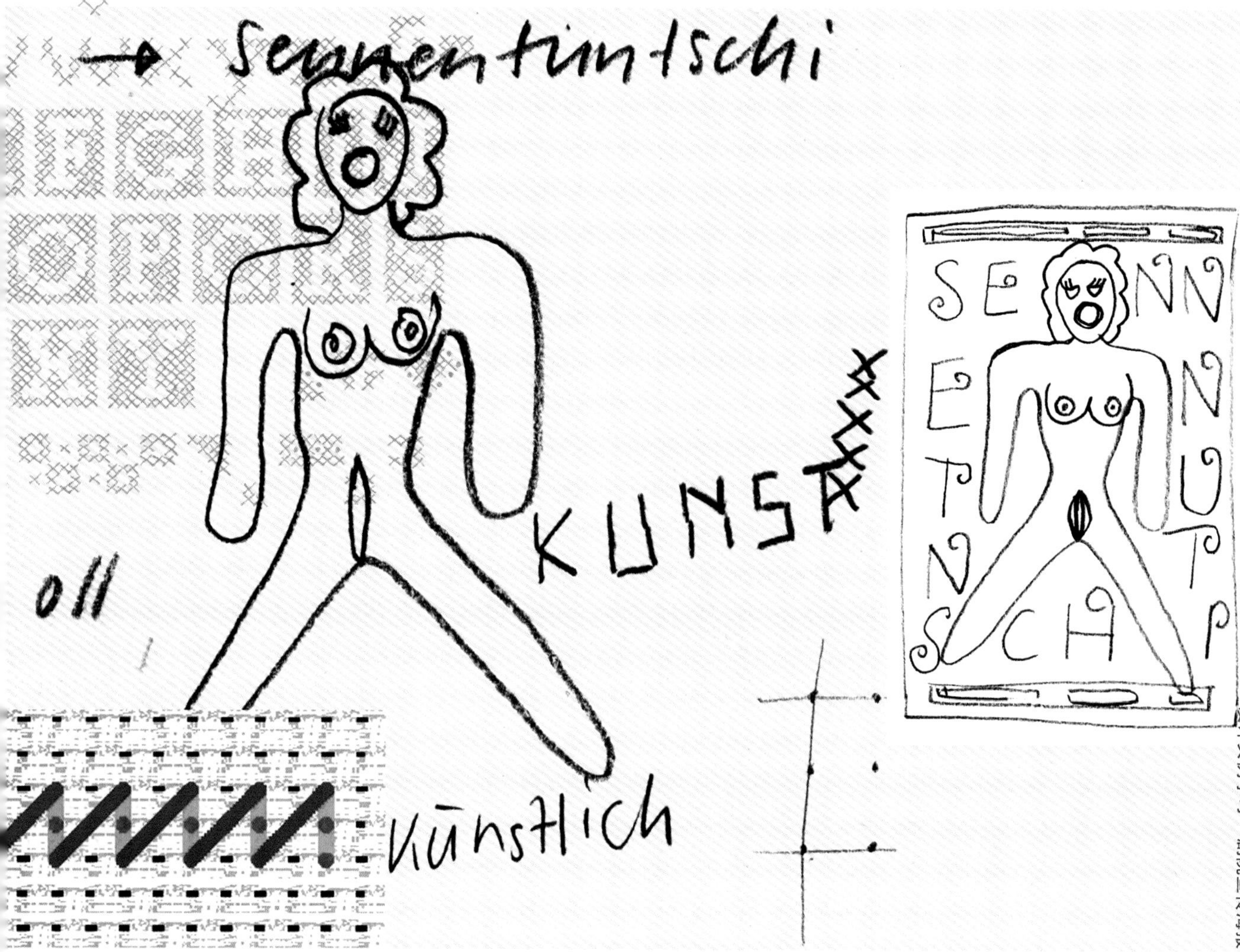

为了海报设计保持与手工艺和作为表演主题的手工作品的联系，设计师从网上收集了手绣的字母样品。

照片和图示对内容传达的区别在这里可以清楚看到。一些观众可能会对吹气玩偶的照片反感，因为它们接近真实。图示的玩偶却因为没有真实肉体的质感而没有引起"猥亵"的感觉。

由于它的典型性，人形可以非常失真的形式表达但是仍然被认出。玩偶的画图需要遵循姿势和比例一定的规则

—— 向外伸的手臂、肩部的奇异姿势和没有界限的头与颈部的连接，以此使人明确图像的内容。

"我的想法是联系起现代元素和传统手工艺。"他说。他要寻找的是可以迅速向观众传达信息的乡村手工制品——十字绣，当放大低像素的图案时，图像和十字绣很像。十字绣是早些时候年轻女孩出嫁时嫁妆的一部分。

他以此想法为主题描绘了草图，并得到了剧院客户的同意。"对我来说，我只展示我认为最理想的创意。如果客户不喜欢，我会再想办法。"他妥协说。

Brechbühl对玩偶的轮廓制作了矢量图。然后他以一个非常小的尺寸放置了位图图案，这样当他放大这些图案时正确比例的十字绣花纹就会出现。当这些都完成后，绣图就转化成了实物大小的矢量图。然后他开始放置字体元素。

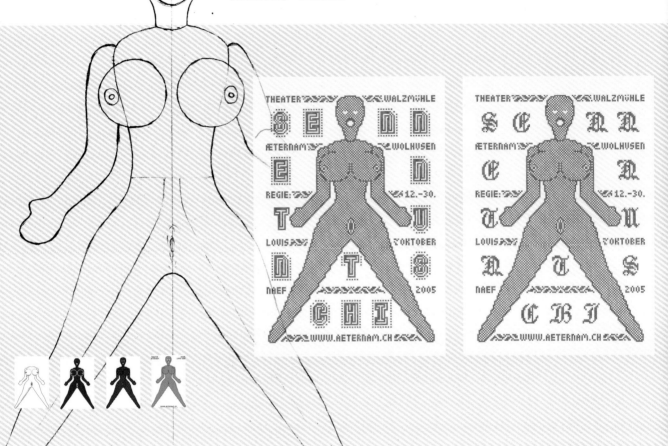

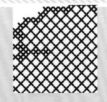

这里展示的，是那些后来被放大之后转化成织绣图案的细小的连续的原始手织绘图。

把人形放在海报中心使它变得既有冲突性又有奇怪的招揽的感觉。设计师用细节的表面活动和辅助性的字体编排元素来减少海报结构的呆板。

位图字体和刺绣具有一样的结构特征，使用的环境使它们之间实现了转化。

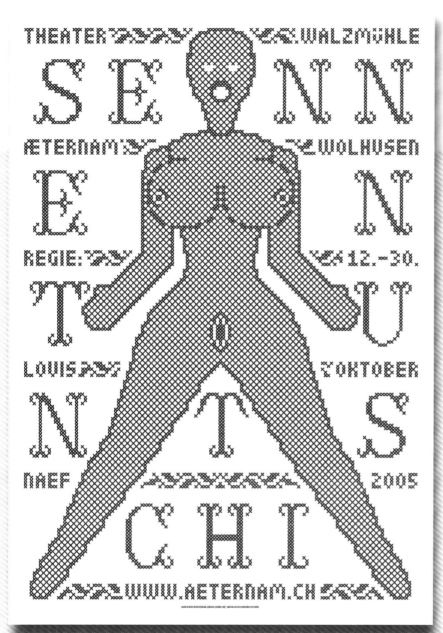

在最终版本之前，
标题的字体选择使它吸
引了过多的注意，从而
分散了对玩偶的注意。
这是因为字体相对于玩
偶稀疏密度的重量感，
以及在字体中的相互黑
白作用造成的。

在最终的定版的海
报中，过度膨胀的女性
形象和在字体中体现的
针线活所传达的家庭感
使这个海报既令人震撼
又不至于猥亵。启发了
人的好奇心，使人有投
入欲和富有幽默感，同
时将戏剧的内容清楚地
进行了传达。

爱迪生发明基金网站
Firstborn | 美国纽约、旧金山

探索真奇妙
The Thrill of Discovery

客户是为了保护托马斯·爱迪生生平事迹的基金会。由于爱迪生是这样一个充满创新精神的人——他发明了灯泡、真空管、留声机、动画，客户要求他们的网站设计应该也像爱迪生本人一样体现革新精神。显然，这不是一件容易的事。这个任务交到了多媒体开发公司Firstborn手上，他们的职责就是要开发出对传统意义的操作页面体验产生冲击的鲜活界面。"我们要做的就是制作出爱迪生本人也会对此兴趣盎然的网站。"Firstborn的主要制作人Dan La Civita说。每一页都有变化的自由形态信息格式带来了探索的乐趣。

三个创意思路之一展现了一个传统水平格式的浏览页面的背景，在页面底部有一个灰色的横边，上面有A-level的导向链接。除了捐赠的红色图示保持不变外，其他的链接都会根据使用者的位置进行颜色变化体现链接的状况。

一幅展示爱迪生第一个电灯的照片和极富灵感的标题结合起来，共同欢迎使用者对主页的来访。

爱迪生发明基金建立这个网站的主要目的是为保护爱迪生在实验室、商店、图书馆，以及大概5000份被荒废的珍贵资料等，这需要筹集到大笔资金。客户的要求之一是，网站不能像其他相似机构那样呆板乏味。LaCivita和由Victor Brunetti及Flash开发人Gicheol Lee领导的团队对此非常乐意。

作为计划的一部分，LaCivita和客户已经就主要内容的领域和每页应该包含多少内容达成共识。在一个讨论主题的开动会议后，Firstborn从客户处收到了第一份资料，包括市场材料，爱迪生的标志性签名、图像档案，主页的文案以及该怎样建立导向结构和视觉风格。

虽然LaCivita偏向于集中注意力于两个创意，Firstborn开发了三个并全部展示出来。每一个创意都采用了完全不同的方法，注意力集中在网站的大事记年表上，借此提供导向。

爱迪生有那么多的发明和创意都被忽略了。我们想要强调爱迪生对世界贡献的广度。

Dan LaCivita，主要制造人

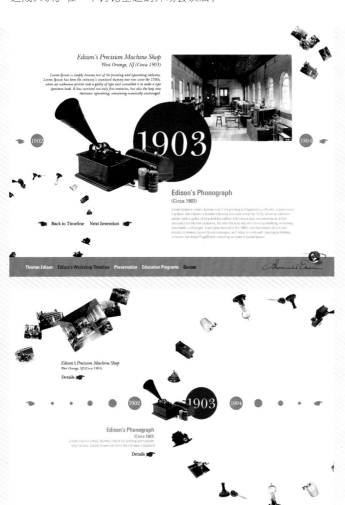

大事记年表以线状圆圈结构的形式呈现在屏幕上，用户可以旋转由爱迪生的发明剪影组成的轮。代表年代的点在接近中心一个发明物的时候会渐渐增大，如果被选择，它会进一步明显变大。一幅介绍性的图画占据中心位置，其他快照则一簇在右上角，剪影在左下角。手指图像指引用户到链接上，图画伴随着简短的文字说明。

两个创意是将内容以比较传统的方式呈现，即在页面底部设置导向链接。

在这两个版本里，大事记年表都以水平线性结构与进一步的内容相链接的形式表现。其中一个创意是比较小的可以转换尺寸的包含图形元素图像在白色的背景中呈现，另一个则用实验室作背景。

第三个创意由设计图案和Flash软件里的程序编制所启发。"每一个设计都是不同的，"Brunetti说，"有时候你画很多的草图；有时候你收集资料，制作情绪版，在字模版上做文章。""还有的时候，"Gicheol Lee插话说，"你可以打开Flash去看有什么有趣的排版可以进行计划性的创作。"Brunetti和Lee发现了一种在Flash里的设计图案，可以被用作螺旋状的导向结构进行互动性的改变——记录下被访问的不同内容。

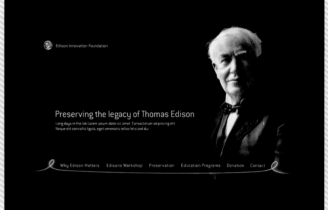

> 这个网站的创意是从哪来的？集思广益。很多很多的集体讨论。

Victor Brunetti，艺术指导

第二个创意同样把网站设计为水平的页面格式。在这个创意里，一个开始的动画后紧接着由代表电流或电线的圆圈串起和爱迪生发明有关的历史事件。

主页和大事记年表页面都采用完全的图画。在主页上，爱迪生的黑白人物照展现了水平的导向系统。这和第一个创意很像。电圈强调了用户于网站所在的位置。

在大事记年表的页面上，图像以电影胶片的形式卷着横跨屏幕，以滑动条形式在图像下向导，让用户访问和大事记年表相关的图像。

客户认为最后的创意捕捉到了爱迪生的创新精神。核心的螺旋向导系结构不仅由A-level链接，还由爱迪生1300个专利中的100个所组成，用户甚至可以访问到原始的专利书。A-level链接使螺旋状的内容围绕中心的爱迪生基金标志旋转，以最适宜的结构展现访问的内容。

例如，大事记年表以时间顺序的列表展示，于是它的垂直柱状扩展了结构并形成了对比。在基金的信息部分，链接通过一个水平条环绕向上。所有的动态都在一个全屏深广的彩色的空间进行。没有框架没有跳出的窗口，因此导向和所指内容可以不受阻碍地呈现。

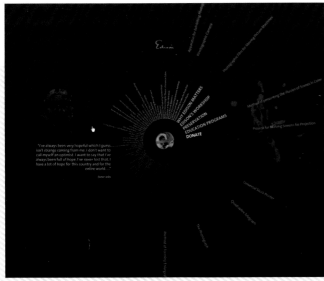

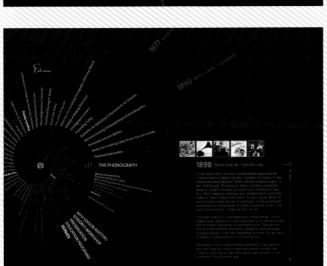

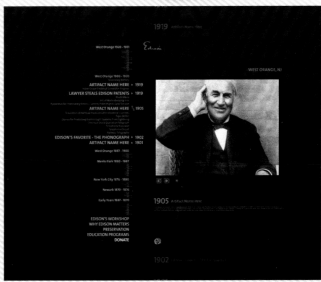

第三个设计跳出了以往的框框。对比前两个设计有限的色彩使用，这个设计充满了浓烈的稍微烟熏感的靛青色。导向和内容以放射性的形式从中心位置发散出去再回旋进入深广的空间，形成一个自由形状的表达。这和以往用网格结构、带状结构，或其他的相似结构非常不同。字幕涵盖了大约100个爱迪生的发明专利。浏览页面可以通过点击向导链接重整信息。例如，在大事记年表里，有一个垂直的柱状传达年代和相关图像信息。这个勇气可嘉的、浅显易懂的、颠覆传统的创意模式得到了客户的赞同，引起了他们的共鸣，它表现了伟大发明家的创新精神。

在创意得到通过后，团队开始为期三个星期的图案和内容放置形式的修正。他们和客户一同编辑和整理材料，同时挑选最有趣的专利发明作为螺旋导向的内容。

团队又花了五个星期时间设置网站的程序和解决其中问题，两次将制作模型展示给客户进行修订。团队保留前后修改的资料以进行例如页面间转换等工作情况的比较。

"有时候，一个项目在进展中有超过一百次的修改。"LaCivita说。网站最终出台的

时间，仅仅是在进程开始了三个月之后。它以具有生命力的极富灵感的方式帮助重塑了爱迪生在现代观众心目中的形象，并使他们轻易地了解到他对科技进步的伟大贡献。

网站中心的螺旋由爱迪生的每一个专利设计列表所组成。当标题被旋转，跳出的目录提供了关于这个发明的可下载的PDF文件。重要的向导元素用大一些的字体显示使访问者能轻易找到。当深入网页，每一条螺旋线会变化形状，但会一直存在以强调爱迪生的发明。

网站展示了由爱迪生的早期创造而启发的现代发明。

Dan LaCivita，执行制作人

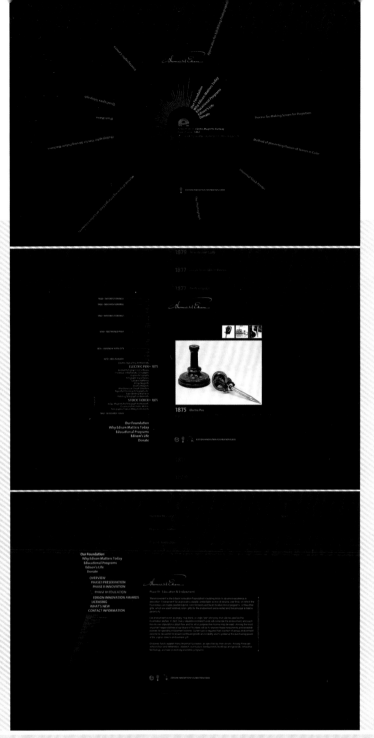

当不同的网页被打开，布局将呈现不同的形状。打开的片断以数不清的创意向外扩展，内部的网页则保持和爱迪生的发明相联系。例如，点击一个日期，螺旋图会给出相关的发明，并有跳出窗口提供关于这些发明的后续发展的详细信息。

深蓝的背景被图画和其他例如显示爱迪生发明的专利申请表等信息所缓和。不管你在这个网站的什么地方，访问主要向导和专利列表总是简易直接的。

嗯⋯⋯ 文化。
我的支票本在哪？

Mmmm... Culture. Where's My Checkbook?

展览会目录通常遵循常规的格式，包括页面的构成、排版以及配合艺术作品的详细图像。可是有的时候展览的内容会建议甚至是需要一个别出心裁的目录。芝加哥的设计工作室Studio Blue为Krannert艺术博物馆举办的展览会"品牌与展览"设计的目录就是其中的例子。Krannert艺术博物馆位于乌尔班纳–尚佩恩的伊利诺伊大学校园里。展览会展出的是表现商标策略和物质化环境的艺术作品。非传统的步调、意料之外的排版、触目的颜色运用都使展览的主旨超越物理空间被映射到目录上来。

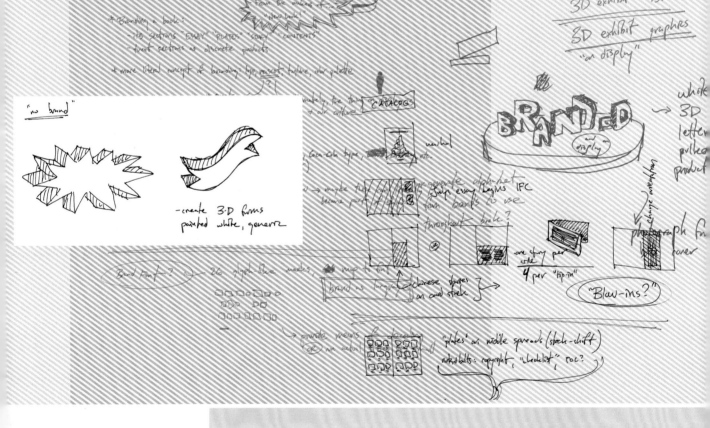

不幸的是，设计师们和博物馆馆长的时间表有冲突，没能在设计初期的探索阶段见面。设计师们于是只有一个大纲、一些图片以及一些电子邮件作为设计的基础。Studio Blue的合伙人之一Cheryl Towler-Weese和设计师Garrett Niksch开始画草图、开讨论会（见案例29），为期四个星期的探索设计方向的工作于是开始。Towler-Weese形容它为古老的游戏："赢，输，或者平手。"

再考虑到这个展览会的观众，是一些接受力很强的人群，因为他们大多数是学生，并且展览会地点设在大学里。设计师的思路于是从一开始就走反传统的方向。"我们研究邮购目录，"Towler-Weese说，"我们觉得这个模式可以给传统的艺术展目录添加花样。"

设计师们比较了不同公司的展示产品的策略，并将这些策略运用到对艺术品的展示上。博物馆馆长自己提议将公司商标在目录里重现。

在他们的第一个创意里，Studio Blue只是在摸索。由于没有与客户见面，只有一些电子邮件可以作为设计基础。但是他们决定参照邮购目录作为展现格式。设计师们运用了最基本的商标符号Andy Warhol的Brillo盒子作为封面图案，并选择了相应的字体和线性效果以映射特定的北美服装零售商。

内页为呈现同样的感觉，将文字用邮购目录常用的格子排版印刷。细的、自然的sans-serif字体，黑色的条纹，在图画中间的细装订线，还有插图框都是家用家具和烹饪零售商喜欢的排版美学。

第二个创意在没有明说的情况下，运用例如像商标的形状和有颜色的文字书页去暗示品牌。可辨认的商标形状使得为小故事选择的字体和颜色相冲突。艺术品显得与文字疏离并呈现无序状。客户对两个设计都不满意，但后一个似乎有希望些。

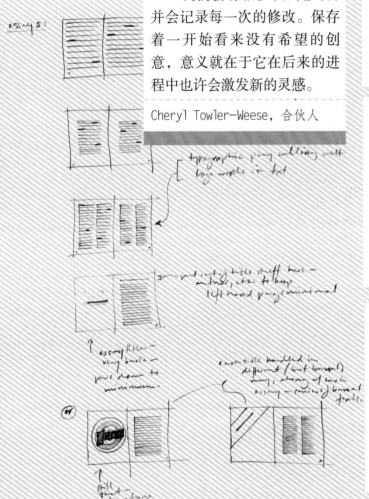

> 我们会有很多次的修改，并会记录每一次的修改。保存着一开始看来没有希望的创意，意义就在于它在后来的进程中也许会激发新的灵感。
>
> Cheryl Towler-Weese，合伙人

Towler-Weese和Nicksch开始改写创意，注意力集中在内容的不同上——小故事、议论文、艺术品和在小故事中引人联想品牌的主题。他们努力的方向是内容的字体，开始以颜色和大小作为区分内容类型的方法。描述性的元素从他们描述对象身上寻找个性；议论文用的是黑白两色。设计师们最后决定用Dolly字体。它是一种serif字体，小尺寸的时候以正常粗细透着书卷气，但大一些尺寸加粗后就很特别。夸张的细节用加粗的方法，同时用格外的球形曲线，使得设计有可塑感。在这个设计中，品牌名称用加粗字体。

"我们可以看到这将会引起很多的权力争议。"Towler-Weese说。于是她和Niksch一同花了很多时间考虑怎样才能在不复制商标的情况下把品牌引出。

除了艺术品外,目录还包括九个小故事。每个故事有一个商品品牌作为核心人物。用这些品牌的颜色和特有的字体来显示和连接的文字相对照,似乎是一种不明示的表现品牌的方式。

在见过第一个提案后,博物馆长就把她对展览的想法明确表示出来。客户对工作室的第一个提议不满意,因为它没有准确地反映出展览的意图。在知道原因后,设计师们对目录的形势和结构有了更好的了解。

"要使客户满意,有很多的修改需要做。"Towler-Weese说。她和Niksch将艺术品的呈现减缩到每页只有一幅图,故意以没有商标的方式放置中间。

This catalogue accompanies the exhibition Branded and On Display organized by Krannert Art Museum and Kinkead Pavilion, University of Illinois at Urbana-Champaign January 26 through April 1, 2007 and presented at Scottsdale Museum of Contemporary Art, Scottsdale, Arizona June 14 through September 21, 2008. Curators Judith Hoos Fox & Ginger Gregg Duggan. Edited by Lucy Flint. Production Assistance by Erin K. Donovan, Jenifer K. Dapper, Ariela Haussman, Aleksandra Marcus, Sebastian Blake Renfield, Diane Schumacher, Cynthia Voelkl. Design by Studio Blue. Copyright 2006 by the Board of Trustees of the University of Illinois. All rights reserved.

Library of Congress Number
ISBN: 1-883015-38-3
ISBN: 978-1-883015-38-1
Distributed by University of Washington Press
Printed in To Come
Krannert Art Museum and Kinkead Pavilion
University of Illinois at Urbana-Champaign
College of Fine and Applied Arts
500 East Peabody Drive
Champaign, Illinois 61820 USA

This catalogue accompanies the exhibition Branded and On Display organized by Krannert Art Museum and Kinkead Pavilion, of University of Illinois at Urbana-Champaign January 26 through April 1, 2007 and presented at Scottsdale Museum of Contemporary Art, Scottsdale, Arizona June 14 through September 21, 2008. Essays by Daniel Thomas Cook, Ginger Gregg Duggan, Judith Hoos Fox, Cele C. Otnes, Linda M. Scott, and Dung Kai-cheung translated by Winnie Won Yin Wong.

Untitled Project: S,M,L,XL
2006
Oil on carved wood
5 x 8 1/2 x 11 inches

The home is a three-dimensional analogue of its inhabitants – their desires, aspirations, and choices – a rich, complex web of dream and fact. When Louis Cameron scanned the barcodes on every item in his apartment, he reduced this richness to black-and-white two-dimensional data. But when he blended the pictures and projected them in a moving image, it appears balletic, harmonic, optically deep, three-dimensional, four-dimensional even. The artist himself is translated; the essence of his life is represented, transmogrified.

The peculiar familiarity of his paintings – is it Ellsworth Kelly or random pages of a PMS sample book? – is revealed in their titles. The tiny printers' swatches hidden beneath the flaps of cardboard cereal and toothpaste boxes, are his source, a reduced, abstracted form derived from complex campaigns to win our allegiance.

An article in the Art Newspaper reports that when Elizabeth, designer of the late Princess Diana's wedding dress, sold her trademark to another firm, she also sold her name; she is no longer allowed to call herself Elizabeth's manual.

Our college student daughter announces that her six-year-old Mac is giving up the fight, and she thinks a PC would better suit her needs. "But we're an Apple family," I automatically protest.

插图的字体用Dolly,用黑色和彩色使其有趣的一面展现出来。运用连接文字进一步地使品牌区分明显。其他的字体slab serif还在被考虑是否可以在别的场景中运用。

把小故事和其他文字区分开来,意味着可以引用原先创意中所用的表现品牌的方法,即用品牌独有的字体和颜色来表现。这个选择于是造成了一种格式上的无意安排互补了内容上的无序性。

议论文部分的学术气氛被黑色常规粗细大小的Dolly字体所强调。作为支持材料的展示每一个作品的插图被放置在中心位置。当段落的相对深度变化,从左到右的直线排列变得不再确定,这带来了一种平淡而随意的感觉。

客户同意了这个思路方向,于是封面的设计得以启动。设计师们想了很多创意,决定从非常规的文字版面设计开始。

更重要的是与书的条形码相关的创意。它是封面设计的一个重要元素,也是展品之一。变形这个元素就造就了可以很多方式灵活运用图像元素。客户鼓励设计师们尽可能地发展这个创意。

和展览有关的连接性文字变得书卷气，强调内容和用鲜明色彩印刷的品牌故事的差异。

一个早些时候的构造创意被再次运用：艺术仿制品、议论文和品牌故事会被随意地拼凑在一起，这和他们常规的归类呈现不同。这种出乎意料的散乱的排版方式和艺术品的性质相符，并给了目录玩世不恭的感觉。

设计师们在这个时候开始研究封面设计，它的发展用了三个星期的时间。"客户

非常地投入并鼓励我们进一步发展我们的创意，"Niksch说，"我们最后采用了很多之前的修改。"

在封面得到肯定后，Towler-Weese和Niksch花了接下来的两个月在此基础上决定版面设计。它包括两次的编辑修改和为制造做准备文档。

Nokia为主题的故事用的是冷灰蓝色背景，用位图字体，效仿SMS短信在手机上的样子。每一个小故事视觉上都是尽量不同的。这个商品化的Che Guevara作为一个品牌，挖苦地评论了品牌和政治的交集。

品牌名称用它们独有的颜色和商标字体来表现。这种方法也是基于品牌对大众在潜意识的影响上所运用的。

印好的封面设计显示，条形码被放大遍布封面并转化成彩色。

> 我们最喜欢的就是在Hello Kitty故事里用到的字体，我们是在其他任何艺术目录里都不可能用上这样的字体的。

Garrett Niksch，设计师

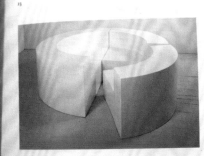

艺术品被逐个展示，毫无生气地放在中央。由一个调色板开始，然后是文字，完全出乎意料并与传统的展览目录相悖。这些安排造成了不安感，不正常的流速设置使读者感到混乱。设计师还故意在重要地方把页码拿掉，以此加强效果。

39

为Bonfire Snowboarding公司设计的外套刺绣图案

Research Studios | 英国伦敦

比例颜色地形图

A Topography of
Scale and Color

运动行业几十年来一直是外套创新的先锋。不仅有工厂对衣服的形状和样式进行着影响，而且这些产品也渐渐从户外运动场地走向了更多的大众。不仅如此，日常装也向运动装靠拢。受在年轻人中流行的反叛的极限运动如滑板、摩托车越野和滑雪的启发，日常装便能有机地结合运动元素。Bonfire Snowboarding公司是一个滑雪品生产商，它的顾客群对产品有持续的更新欲望。伦敦的Research Studio在客户的指导下设计出了一个特别的织物花纹。Bonfire公司想要在新系列的滑雪服和饰品中采用迷彩图案，这便是他们给Research Studio设计师Jeff Knowles提的第一个要求。

在研究了怎样制作迷彩图案后，Knowles创作出了一个基础图案作为指导，并开始探寻在此之上的设计。从一开始，他便建立起一种用小的类似像素的元素去表现迷彩的现代感的方法。也许网络文化的性质就具有迷彩感。

> 我们开发出很多图案的创作方向。其中有十到十五个选项被我们展示给了客户。
>
> Jeff Knowles，设计师

"他们希望我们能制作出与典型的军队迷彩图案不同的图案。"Knowles激动地说。这个挑战在格式上有趣的地方是迷彩图案设计看上去完全无序，就像是在野外环境里的黑白图案，而实际上它们是重复的图案。"我研究了现存的迷彩图案并学习它们的制作方法，学习它们和正常的重复形图案不同的地方。"Knowles说。

在建立起他自己的图案基础后，Knowles开始研究对迷彩新的制作方法。从一开始就数字化设计，自然会得出"高科技感"的作品。Knowles的始发设计就是像素基础的细节，以小的图案组成一个大的图案。

对于这个设计来说，通常的阶段性的展现创意并进行修改的过程并不适用。Knowles用不同图像元素制造的图案实验了几个星期，去寻找可选择的更多或更少的复杂性、密度和基本像素形状。

 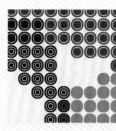   

  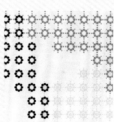 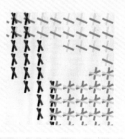

像素元素是按照从方形到线到小的饼图的排列。运用简单的变化程序——根据一个特定的视觉逻辑变换不同像素的几个方面——Knowles可以通过变换像素的种类、密度或复杂度从而造成不同的质感。

通过改变颜色，包括格式语言，Knowles发现他可以运用独立于像素描绘的迷彩图案之外的图案，以实现这些变化。这个变量可以使设计的复杂度大大增加，并给迷彩上了一层"透明色"。

"一旦做出一个变化，不是一个小的调整，而是一个新的设计便被创造了，"Knowles解释，"因此我保存所有的变化形式进行对比。"当他制作了很多的客户可能感兴趣的变形时，他便给客户发了一封带PDF文档的邮件，通过讨论，挑选出一个主要方向作修改。

Bonfire选择了一个根据集中的圆圈系统做出的图案。图案包括细和粗的笔画。这些不同密度的圆圈元素被以独立的图案放置在迷彩图案周围。

> 在一定距离以外看，它看起来像纯粹的迷彩，但一旦走近，你便可以看到设计的细节。
>
> Jeff Knowles，设计师

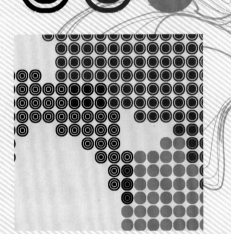

Knowles和客户选择这个根据不同粗细的集中的圆圈制成的图案。客户要求一个次要的线性图案需要加入这个基础图案中。

Knowles向研究地形绘图作为线性语言的同事Reece求助。结果Knowles将最后的线性元素添加了进去。

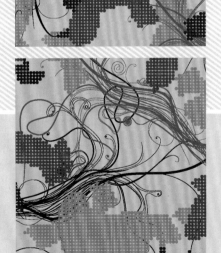

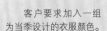

客户要求加入一组为当季设计的衣服颜色。

使复杂程度加剧的是颜色，它同样可以被单独地放置在任何一种圆圈组成上。

除了细微改动外，客户只有一个要求：他们想要一个更流动的次要图案加入。为此，Knowles向同事Ben Reece求助。在Reece研究旋转的线的时候,Knowles继续修改基础图案。Reece研究了地形学，地貌的轮廓画图给他以灵感，同时他也喜欢可以使人联想到雪的飞溅结构。旋转的线被作为独立的矢量层加入。然后又是一段修改时期。"我觉得百分之七十的时间（大约十天）是用在最初的创意上的，最后的百分之三十是在修改和颜色变换。"颜色已经被客户作为当季色彩设计的一部分事先定下，因此在准备印染文件时Knowles只需要直接运用色系中的颜色。

客户花了两周时间在日本的印染工厂。图案很复杂以至于工厂需要研究新的印染方法来实现准确的再现。这使得以前不能见到的细节得以呈现。

Knowles对结果满意，虽然仍有一些持怀疑论的客户。"虽然他们非常喜欢这个设计，可公司里有人觉得它不会在滑雪市场流行，"Knowles说，"这件夹克最后却成为他们最畅销的衣服之一。"

从远处看，迷彩图案占据了主导地位。近看，点和线的细节变明显但迷彩图案却不见了。这个巨大的变化在视觉上充满动感并使人产生隐喻性的联想：个人和社会，滑雪人和大自然，特殊和普遍。

40

Renée Rhyner & Company网站
Red Canoe | 美国田纳西州

在追求意义深远的表达和超凡的视觉体验时，设计师们有时会忘了常识通常是精妙的最好来源。比如，清晰的思考和精湛的手工艺品能带来极大的享受。而手工艺品这个词则可以用来形容一个网站设计，它就是为位于得克萨斯州达拉斯的商业艺术家代理Renée Rhyner & Company制作的网站设计。这个网站展示了Rhyner所代理的艺术家的作品，大体上，它是一个代表作选集网站。从本能的组织到有效率的点入，从排版的限制到诗意的流程，这个网站精雕细镂的简洁带来了和谐体贴的使用体验。

找到我在寻找的
Finding What I'm Looking For

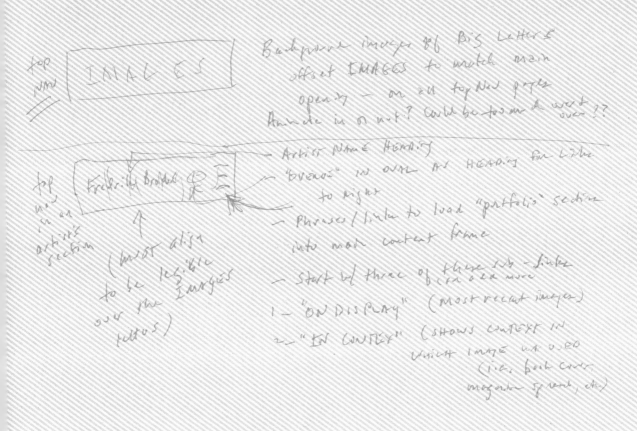

视觉形式，或者说"看和感觉"，是设计师解决问题的直接目的，特别对于网页来说更是如此。所有的排版选择，虽然很快完成，但都是以使用者与网页内容互动的需要为标准的。

在网页设计方面，Red Canoe的方法是不会对解决问题以外的事情做任何研究。工作室合伙人Deb Koch说每个案子的底线是："这个网站究竟要为客户做什么？谁是使用者？"

想要制造以先进的技术支持的便捷性，是因为他们是从客户的角度考虑的。Knoch和合伙人Caroline Kavanagh长期要为如书面设计的方案寻找图像。"我们了解我们对网站喜欢的和不喜欢的地方，那就是我们在急的时候需要的和我们在不急的时候欣赏的。"

设计师们认真对待他们遇到的失败的网站设计。他们将得到的解决方法通常会与他们另一处遇到过的问题相关——避免他们不想要的。

Red Canoe对网站设计的决定标准来源于实用性而不是意义。它就是前两个问题的答案：在急的时候想要的、在不急的时候欣赏的，这使他们以最简单的方式构造Rhyner网站的向导。

在导向设计的发展阶段，设计师就对网站视觉形式采用了明智的方法。他们简略地用有图形标志的圆键区分每个设计师，但是由于它们自身不具备意义并且可能会相互竞争吸引用户的注意力，这个方法最终被设计过的名字缩写所取代。后者除了提供信息外还给网页带来了更多的字体多种运用的可能。

照片内容是最重要的注意点，因此与其他内容相比它被放置到了更为主导的位置。在图像左侧的圆键，其相隔的距离和大小有效地吸引了人的注意力并提供导向。通过这些圆键可以访问到Rhyner代理的艺术家的作品集，因此将图像和图像搜索联系起来变得理所当然。

在实际大小上和对比的处理上，分开起次要作用的A-levels近一步强调了它们的重要性。

一个被标签为"主题"的主题图像，被
在左边的一系列圆键所支持，它们代表着客
户代理的艺术家名单。这些圆键与大图的距
离显示了它的目的：在"这里"寻找图像。
指引到每个摄影师内容的圆键有四个选项来
向导他们的作品。所有的其他内容都用小字
体放置在顶部，这很容易找到却不抢注意力。
这是一些不那么重要的信息，用户如果时间
允许可以自己浏览。

一个初始的图像伴
随着"IMAGES"使连接
清晰并回答了用户的问
题：我要找的是什么？

中性的sans serif字
体的使用是一个明智的
选择，它的相对安静使
摄影内容主题突出。
Univers字体特别是缩小
宽度的时候，可以作为
另一个选择，它提供了
不同的粗细来区分等级。

点击一个艺术家的
链接便把用户带到那个艺
术家的空间。一个大的图
像会出现在内容区域，更
进一步的向导出现在顶
部，它比左边的链接更大
并且用的是大写字母。

选择自然色背景的
目的是为了避免与显示
的图像所冲突。当网站
开始被开发的时候，棕
色的暖度强调了黑白图
像的对比和色调。那时
Rhyner的艺术家只做黑

白摄影。在网站投入使
用后，彩色照片成为作
品集的一部分，自然色
的背景仍然非常合适。

网站的设计进展很迅速，再一次印证对一系列问题的答案。网站宣传的是照片吗？那么没有图画。照片代表了很多不同的风格，排版和颜色因此要自然，不与内容发生冲突。

在了解了功能和由此设计出外表之后，Deb和Caroline才将他们唯一一个设计展示给客户。这个策略同样是合伙人意识中他们在解决问题的结果——外表和感觉都是自然形成的，不是可以用在任何东西上的表皮。

"有时候，我们可能会展示一些'未完成的粗糙感'，修正可以对此展开，"Koch说，"但是创意仍然只有一个。和Red Canoe承接的其他网页设计一样，这个设计从此的修正都是细微的，目的只是为了改进使用感受。这个过程大约需要六个月。"

在Kosh和Kavanagh自我设定的相对朴素的限制下，仍有很多为用户创作出宏伟丰富的使用体验的机会。就像老话说的，细微之处见功夫。

> 我回想这个网页和平面布局图，可以说它就像场音乐剧。内容不急不缓一步步呈现，直到达到精华所在——图片。

Deb Koch，合伙人

在图书馆的改动提高了实用性并使点击和转换的过程更加精细。比较两组页面：早期的版本在左边，修改后的在右边。光标怎样启动链接的稍微修正和因此造成的后边的框里的改变，使网页表现出更遵循直觉的互动质感。这些变化只能在进程中的模型里看到，因此进展是爆发式并迅速的，并不经过存档的修改和比较。

光盒子显示的网格帮助将选中的图像拖入网格有影响的位置。

扩散的页面给网站带来了有节奏感的流畅。它在点击进入新的内容时是静止的，但会出乎意料地显示出另外的图片和有选择性的引用。在新闻部分，介绍性的文字伴随着相关图像滚动出现。

在人物部分，一个更详细的主要向导在强调的图片上出现。每一个圆键带来一句简短的自白，用书卷气的serif字体显示。字体的选择和总体的sans serif排版形成对比。

网站被实时更新——不仅仅是新的摄影师被添加进来，或者更改已有的作品集，而是添加新的核心功能。其中之一就是图书馆，它收集不在网站上显示的图片，使用者可以用关键词自己进行搜索。这个功能后来被进一步扩展为完全成熟的内容管理系统。

客户和她的代理艺术家可以上传、修改和追踪图片和信息；网站用户可以运用更概括的根据内容和艺术家的关键词搜索，用光盒子和小图片浏览。

对这些功能的每一个方面都给予同样程度的对细节的关注。从以最少的点击数获取信息，到小图的像素，到用户选择、添加或删除、比较小图时，它该怎样出现和消失。

这样的正在进行中的改进在"网站客人"部分也很明显。特别是展现部分：滚动的幻灯片和聚光灯有效地展示已有艺术家的作品或新人的作品。

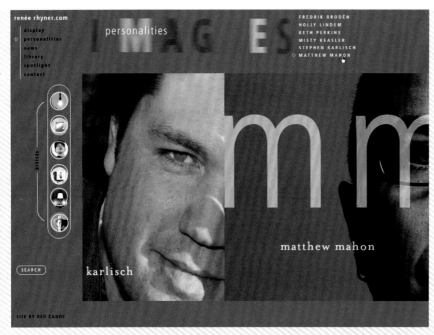

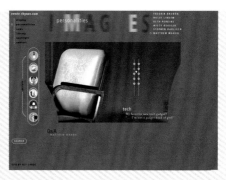

在轻松的人物部分运用了动画。屏幕从空白到有图案，进行垂直的线性移动。接着，图片中出现一些小小的圆形按钮。把鼠标放在每一个圆形按键上，都会

出现摄影师的一段话，采用的是Mrs.Eaves字体。字体是传统Baskerville serif的现代版变形。

慢速的动画运用在页面的转换上，特别是在展现部分。一幅幅介绍性的图片会滚动出现。

图片提供者
Contributors

2FRESH
La Défense 9, Tour Ariane, E: 33
92088 Paris, France
Maslak, Beybi Giz Plaza, K: 26
34396 Istanbul, Turkey
www.2fresh.com
110 | 111 | 112 | 113 | 114 | 115

AdamsMorioka
8484 Wilshire Blvd., Suite 600
Beverly Hills, CA 90211 USA
www.adamsmorioka.com
170 | 171 |172 | 173 | 174 | 175
218 | 219 | 220 | 221 | 222 | 223
224 | 225

Ah-Reum Han
School of Visual Arts
990 Sixth Ave., Suite 17J
New York, NY 10018 USA
onebeauty310@gmail.com
039

Armando Milani Design
Via Vivaio, 21
20122 Milan, Italy
087 | 088 | 089

Bruketa & Žinic
Zavrinica 17
Zagreb, Croatia 10000
www.bruketa-zinic.com
066 | 067 | 068 | 069 | 070 | 071
072 | 073

Thomas Csano
3655 St-Laurent Blvd.
Montreal, Quebec, Canada
H2X 2V6
www.thomascsano.com
214 | 215 | 216 | 217

Compass360
11 Davies Ave., Suite 200
Toronto, Ontario, Canada
M4M 2A9
www.compass360.com
160 | 161 | 162 | 163

doch design
Baaderstrasse 16
D-80469 Munich, Germany
www.dochdesign.de
028 | 102 | 103 | 104 | 105

Firstborn
630 9th Avenue
New York, NY 10036 USA
www.firstbornmultimedia.com
176 | 177 | 178 | 179 | 180 | 181
248 | 249 | 250 | 251 | 252 | 253

GollingsPidgeon
147 Chapel St.
St. Kilda, Victoria, Australia 3182
www.gollingspidgeon.com
038 | 148 | 149 | 150 | 151 | 198
199 | 200 | 201 | 202 | 203

Hesse Design
Duesseldorfer Strasse 16
Erkath, 40699 Germany
www.hesse-design.com
017 | 030 | 032 | 038 | 041 | 188
189 | 190 | 191 | 192 | 193

Hyosook Kang
School of Visual Arts
228 East 25th St., Apt. 10
New York, NY 10010 USA
yellowapple79@hotmail.com
025

Ideas on Purpose
307 Seventh Ave., Suite 701
New York, NY 10001 USA
www.ideasonpurpose.com
021 | 134 | 135 | 136 | 137 | 138 | 139

Kuhlmann Leavitt, Inc.
7810 Forsyth Blvd., 2W
St. Louis, MO 63105 USA
www.kuhlmannleavitt.com
060 | 061 | 062 | 063 | 064 | 065

Kym Abrams Design
213 West Institut Pl., Suite 608
Chicago, IL 60610 USA
www.kad.com
116 | 117 | 118 | 119 | 120 | 121

Laywan Kwan
610 W. 152nd St. #24
New York, NY 10031 USA
laywan@gmail.com
010

LSD
San Andrés 36, 2º p6
28004 Madrid, Spain
www.lsdspace.com
230 | 231 | 232 | 233 | 234 | 235
236 | 237

Mixer
Löwenplatz 5
6004 Lucerne, Switzerland
www.mixer.ch
106 | 107 | 108 | 109 | 244 | 245
246 | 247

Orangetango
88 Queen St.
H3C 09H Montreal, Quebec, Canada
www.orangetango.com
056 | 057 | 058 | 059

**Un mundo féliz/a happy
world production**
Madrid, Spain
www.unmundofeliz.org
122 | 123 | 124 | 125 | 126 | 127

paone design associates
240 South Twentieth St.
Philadelphia, PA 19103 USA
www.paonedesign.com
029 | 094 | 095 | 096 | 097 | 098
099 | 100 | 101

Parallax Design
447 Pulteney St.
Adelaide SA, Australia 5000
www.parallaxdesign.com.au
019 | 034 | 090 | 091 | 092 | 093
164 | 165 | 166 | 167 | 168 | 169

Planet Propaganda
605 Williamson St.
Madison, WI 53703 USA
www.planetpropaganda.com
152 | 153 | 154 | 155 | 156 | 157
158 | 159

Red Canoe
347 Clear Creek Trail
Deer Lodge, TN 37726 USA
www.redcanoe.com
194 | 195 | 196 | 197 | 264 | 265

Research Studios
94 Islington High Street
London N1 8EG United Kingdom
www.researchstudios.com
078 | 079 | 080 | 081 | 082 | 083 | 084
085 | 260 | 261 | 262 | 263

Sägenvier
Sägerstrasse 4
6850 Dornbirn, Austria
www.saegenvier.at
050 | 051 | 052 | 053 | 054 | 055

Leonardo Sonnoli
Via G. Rossini 16
Trieste 34231 Italy
leonardosonnoli@libero.it
025

致 谢

就像是这本书中呈现的案例，我的每一本书都有一个独特的完成经过。这本也不例外。同以往一样，对于这本书的完成我对很多人都心存感激。排在名单第一位的是那些协助公司，他们的作品使这本书得以成形：非常感谢你们搜集那些在完成作品后通常会被扔掉的灵感碎片和遗漏的中间步骤。努力的设计师们特别是学生们，将会因为看到这些中间步骤而受益深远。同时也要非常感谢Rockport团队（热烈欢迎Emily Potts的加入）。我还要特别感谢David Martinell，为他一直的支持。谨以此书献给Beebee，我的父母和朋友们，也给我所有以前、现在和将来的学生们。

作者简介

蒂莫西·萨马拉是纽约的一位平面设计师。他致力于教学、写作、演讲和为STIM视觉传播公司担任顾问的活动中。十七年的品牌和信息设计职业生涯使他有机会接触到关于印刷、包装、环境、用户界面和动画设计。他在Ruder Finn Design担任过高级艺术指导，那是纽约最大的公共关系公司；也在小型的多元设计公司Pettistudio担任过艺术指导。来到纽约之前，他曾是纽约北部Physiologic的主管。1990年，他从费城艺术大学毕业，并获董事会奖学金（Trustee Scholar）。萨马拉先生现在是纽约大学视觉艺术学院、纽约州立大学伯彻斯学院和帕森设计学院的教师。至今他已经在Rockport出版社出版了五本书：《平面设计中网格的制作与突破》（2003年），《印刷工作手册》（2004年），《出版设计完全手册》（2005年），《字体风格搜索手册》（2006年）以及最新的《设计元素——平面设计样式》（2007年）。萨马拉先生和他的伴侣住在布鲁克林的威廉斯堡一带，隔河对望曼哈顿。